Les cahiers d'écriture

Chinois

Les bases

Hélène Arthus

Sommaire

Introduction 4

PAS À PAS 5-113
一 二 三 十 5-6
Palier 1 7
月 日 8-9
Palier 2 10
天 今 11-12
Palier 3 13
几 中 国 去 14-17
Palier 4 18
人 多 云 山 水 田 画 19-25
Palier 5 26
刀 力 男 女 子 好 你 心 您 大 小 27-37
Palier 6 38
马 吗 是 我 不 生 有 没 孩 个 口 39-49
Palier 7 50
对 门 北 方 南 西 东 风 点 火 51-60
Palier 8 61
开 关 系 上 下 车 雨 雪 冷 明 白 米 饭 吃 62-75
Palier 9 76
早 晚 午 文 学 字 会 说 写 看 电 手 77-88
Palier 10 89
爱 茶 花 竹 地 走 来 老 家 回 父 母 贵 姓 周 休 工 海 河 鸟 飞 岛 鱼 网 90-113

ANNEXES 114-127
Les traits fondamentaux 114
L'ordre global des traits 114
Quelques clés simplifiées 115
Équivalences entre signes simplifiés (Chine continentale) et signes traditionnels 116
Équivalences entre pinyin et prononciation française 117-118
Les petites phrases usuelles du cahier 119-123
Les 100 signes du cahier 124-127

Introduction

Les caractères chinois
- Les dictionnaires savants comptent plus de 50 000 signes.
- Seuls 3 000 sont d'usage courant, mais un apprenant du chinois progresse toute sa vie.
- La reconnaissance de 1 000 signes suffit à une lecture compréhensive.
- La maîtrise de 100 signes fréquents ouvre la voie !
- Et quelques signes antiques (en bas à droite des quadrillages) – tracés comme au XIVe siècle avant notre ère – aideront votre mémoire…

Chaque signe :
- figure un sens : c'est un mot d'une syllabe ;
- s'inscrit dans un espace carré ;
- s'écrit à intervalle régulier ;
- peut être associé à d'autres signes pour former de nouveaux mots.

Votre parcours dans ce cahier
- Le plus efficace est d'apprendre un caractère par jour, en procédant page par page.
- Les flèches vous guident en vous donnant le sens de chaque élément.
- Les encadrés sur fond couleur vous dévoilent les petits secrets de chaque signe.
- Les 10 paliers servent à résumer, réviser, s'entraîner et… deviner.
- Le symbole ⚷ indique un mot-clé qui mérite une éventuelle recherche sur Internet.

Les sons
- Un signe chinois n'indique pas comment il se prononce.
- Nous utilisons la transcription officielle utilisée en République Populaire de Chine, le pinyin, en caractères gras.
- Le pinyin n'a rien d'évident, surtout pour les francophones. Nous avons donc ajouté une approximation phonétique à la française entre crochets [ ]. Fiez-vous à cette approximation du son entendu pour vous habituer au pinyin.
- Le chinois est une langue à tons. Suivez le guidage pas à pas : tout est prévu.
- Dans *MDBG chinese reader*, vous pouvez chercher un caractère en pinyin, puis double-cliquer dessus pour entendre sa prononciation.

Les astuces
- Prononcez en écrivant, cela aide à mémoriser le lien signe-sens-son.
- Commencez par tracer en l'air, afin de mémoriser plus facilement la gestuelle.
- Dans le cahier, tracez d'abord au crayon, puis repassez sur les signes réussis au stylo.
- S'entraîner à calligraphier avec un pinceau chinois imbibé d'eau et une ardoise est utile.

UN, DEUX, TROIS

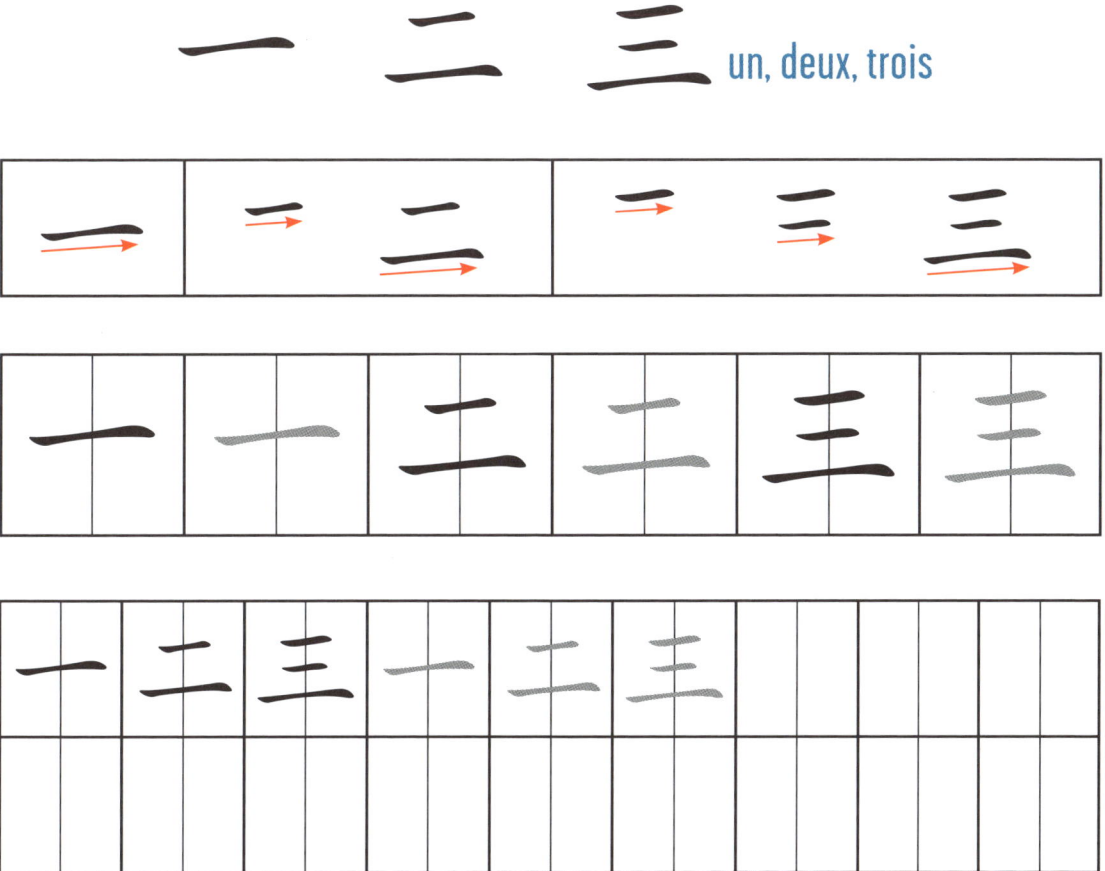
un, deux, trois

Un se transcrit **yī**. Suivez la flèche. Repasser sur le signe grisé vous facilitera la tâche. Le 1er ton est noté ¯ sur la voyelle. Il est haut et continu comme le son du diapason : la a a… Sur la même note, entraînez-vous à dire **yī ī ī**…

Deux se transcrit **èr**. D'abord le petit trait horizontal du haut, puis le grand trait horizontal de la base. Sur la voyelle, \ indique que la syllabe est au 4e ton, descendant ↘ et bref. Ici, **e** se prononce comme dans l'article français *le*. Le **r** est rétroflexe, à l'américaine, mais il s'entend à peine : [er].

Trois se transcrit **sān**. On entend [sane] au 1er ton, haut et continu. Suivez les trois flèches de haut en bas. Les traits sont plus denses que pour **èr** puisqu'ils sont trois dans le même espace. Observez la largeur de chaque trait horizontal avant de vous lancer en répétant **yī, èr, sān** [yiii, er, sane]… pour associer signes et sons.

 **DIX**

 dix

Dix se transcrit **shí**. On entend [sheu]. En pinyin, **sh** se prononce comme dans *short* et **i** ressemble au *eux* français, mais sans projeter les lèvres en avant.

Le 2ᵉ ton, noté / sur la voyelle, est montant ↗. Le français n'est pas une langue à tons comme le chinois. Mais la surprise s'y exprime souvent par une intonation montante : *Ah bon ?* On entend deux notes ♫ dont la seconde est plus haute. Si vous chantez ces deux notes sur la syllabe **shí** [sheu], vous obtenez un deuxième ton. Attention : il ne s'agit pas d'exprimer la surprise, ici, c'est juste la musique de ce mot.

On trace le trait horizontal de gauche à droite, puis le vertical de haut en bas. Le secret est de bien les croiser. Le trait horizontal est coupé au milieu, le trait vertical au tiers.

Palier 1

Deux règles d'écriture et un conseil
– Les traits horizontaux, petits ou grands, se tracent de gauche à droite →.
– Un caractère s'écrit globalement de haut en bas ↓.
– Comparez la largeur des différents traits horizontaux avant de les tracer.

Questions
1. Que signifient ces trois positions des doigts ?

→ ....

→ ....

→ ....

2. La Chine utilise-t-elle aussi les chiffres arabes tels que 1, 2, 3, etc. ?

→ ....

Trois règles et un conseil
– Le trait horizontal → se trace avant le trait vertical ↓ qui le croise.
– L'horizontal peut légèrement monter, le vertical reste parfaitement droit, tel un fil à plomb.
– Observez le point d'intersection des traits et leurs proportions de part et d'autre de ce point.

Questions
3. Laquelle de ces deux croix ✚ ✛ désigne le nombre dix en chinois ?

→ ....

4. En pinyin, **i** se prononce-t-il de la même façon dans **yī** *un* et **shí** *dix* ?

→ ....

5. **sh** se prononce-t-il comme dans *chat*, *chien* et *show* ?

→ ....

6. En Chine, pour mimer *dix* avec les doigts, croise-t-on les deux index comme pour ✚ ou X ?

→ ....

① 1, 2, 3. ② Oui. ③ La deuxième. La première est le symbole de l'addition. ④ Non : **yī** [yi] et **shí** [sheu] ♪. ⑤ Oui. Ici, le pinyin s'inspire du *sh* anglais. ⑥ On mime le signe ✚.

LUNE, LUNAISON, MOIS

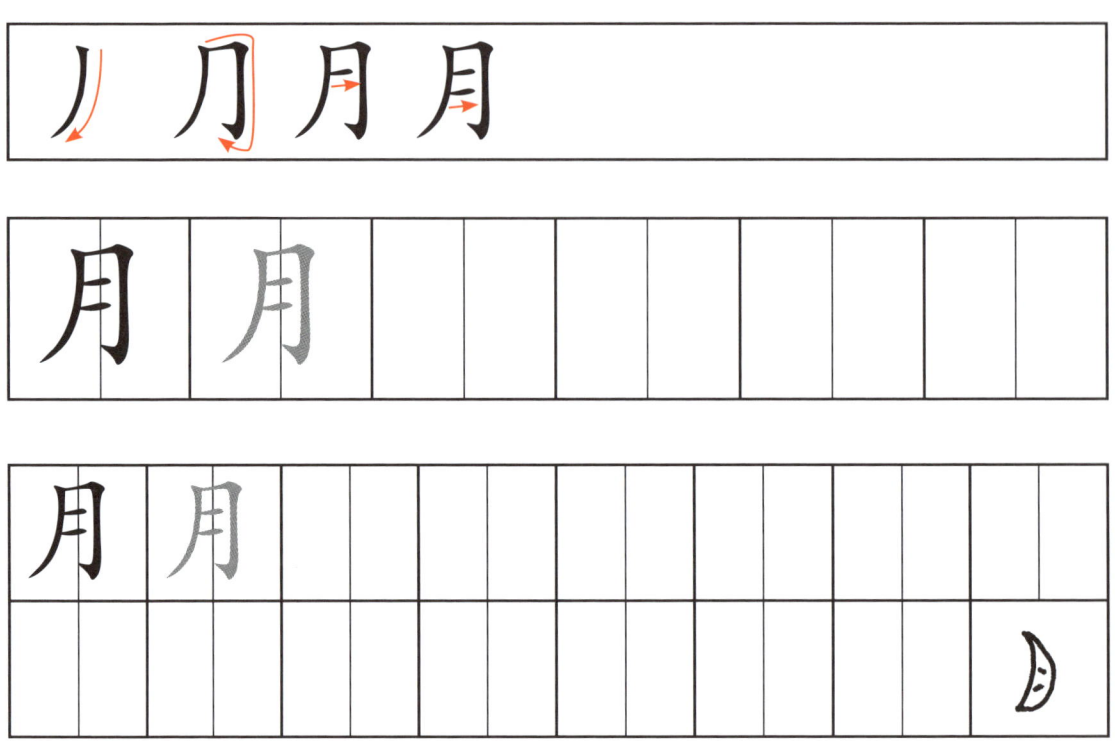

Lune, *lunaison*, *mois*, **yuè**, 4ᵉ ton, descendant et bref. On entend [yüé], tout comme le verbe français *huer*.

Le premier trait descend droit, puis s'incurve vers la gauche. Le deuxième trait tourne à angle droit, puis finit par un minicrochet remontant vers les deux petits traits intérieurs que l'on trace en dernier. On écrit donc le contour avant l'intérieur.

Dans l'Antiquité, ce pictogramme figurait un croissant de lune *(voir ci-dessus)*. Peut-être les deux petits traits intérieurs évoquaient-ils les reliefs de notre satellite ? À moins qu'ils ne représentent la belle et légère Chang'e 嫦娥, personnage de la mythologie chinoise qui séjourne dans les frimas lunaires et regrette tant la planète bleue d'où elle s'est envolée ?

En chinois, les mois sont numérotés : 一月 **yī yuè** *janvier (mois n°1)* ; 二月 **èr yuè** *février (mois n°2)* ; 三月 **sān yuè** *mars (mois n°3)* ; 十月 **shí yuè** [sheu yüé] *octobre (mois n°10)*.

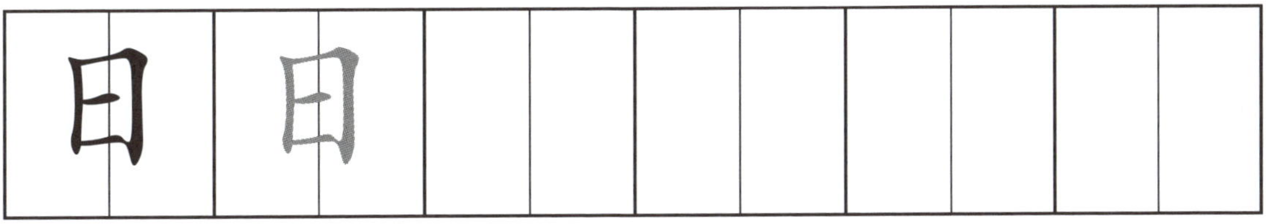

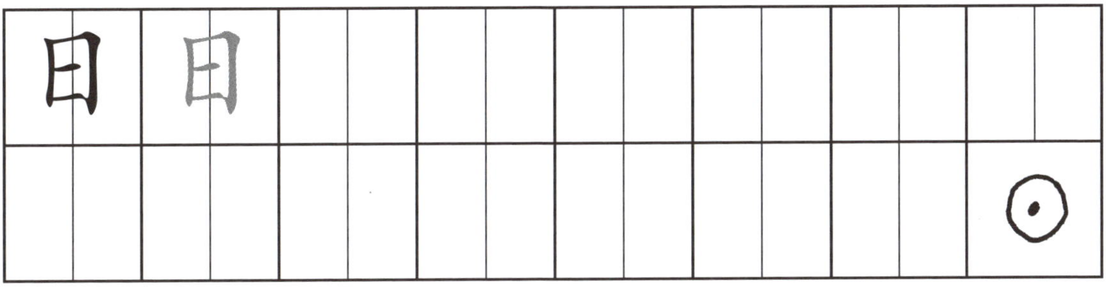

Soleil, jour, **rì**, 4ᵉ ton, descendant et bref. On entend [jeu]. En pinyin, **r** n'a rien à voir avec le *r* français. Et **i** est neutralisé ici, comme dans **shí** [sheu] *dix*.

Le pictogramme antique était rond *(voir ci-dessus)*. Il est devenu carré avec l'introduction du pinceau. Le trait final de la base va de gauche à droite et rejoint le minicrochet du trait n° 2.

Un mythe raconte que dix soleils se relayaient pour traverser la voûte céleste. Un matin, ils se levèrent tous ensemble et brûlèrent les récoltes. C'est alors que l'archer Yi 弈 intervint pour les abattre tous. Tous… sauf un, heureusement !

La date s'écrit avec le mois, puis le numéro du jour : 一月三日 **yī yuè sān rì** [yi yüé sane jeu] *le 3 janvier* ; 三月二日 **sān yuè èr rì** [sane yüé er jeu] *le 2 mars* ; 十月一日 **shí yuè yī rì** [sheu yüé yi jeu] *le 1ᵉʳ octobre*, jour de la Fête nationale en République Populaire de Chine.

Palier 2

Une règle et deux découvertes

– Le trait vertical se trace de haut en bas ↓. Il s'incurve parfois vers la gauche ⌡.

– Un trait peut comporter un angle droit ⌐.

– Beaucoup de traits se terminent par un petit crochet, comme ⌐.

Questions

1. Le signe de *la lune* 月 **yuè** [yüé] comporte-t-il 4 ou 5 traits ?

➜ ....

2. Vous connaissez déjà 4 traits fondamentaux de l'écriture chinoise. Lesquels ?

➜ ....

3. Pourquoi l'angle droit et le crochet sont-ils un peu plus épais ?

➜ ....

Une règle et une observation

– On trace le ou les traits intérieurs avant la base.

– Les traits intérieurs ne touchent pas forcément les bords.

Questions

4. Les pictogrammes du *soleil* 日 et de la *lune* 月 ont-ils le même nombre de traits ?

➜ ....

5. Sont-ils de la même taille ?

➜ ....

6. Quels traits diffèrent entre ces deux pictogrammes ?

➜ ....

7. En pinyin, **i** se prononce tantôt [i] tantôt [eu]. Vrai ou faux ?

➜ ....

① 4 traits. ② — horizontal, | vertical, ⌡ vertical incurvé à gauche, ⌐ angle droit avec crochet. ③ Parce que le pinceau du calligraphe change de direction sans quitter le papier. Au crayon ou au stylo, on trace également continûment, mais sans épaissir le trait. ④ Oui, 4 traits. ⑤ Le pictogramme du soleil est un peu plus petit quand on l'écrit à la main. ⑥ Le premier et le dernier. ⑦ Vrai.

Ciel, *journée*, **tiān**, 1ᵉʳ ton, haut et continu. On entend [t'ienne]. Il faut souffler fort après le **t** et prononcer **ian** comme le mot français *hyène*.

Le signe du ciel peut tenir dans un triangle △. On trace d'abord les deux traits horizontaux, le petit en haut puis le moyen au centre. On remonte ensuite pour tracer le trait oblique vers la gauche et, enfin, le trait oblique vers la droite. Ces deux obliques n'ont pas le même point de départ, ni la même courbure. Ils sont souvent associés l'un à l'autre.

Ce serait faux de croiser les traits en haut. Comparez : 天 **tiān** *ciel* et 夫 **fū** *maître*.

Confucius mentionnait parfois le *Ciel*, mais un jour il demanda à un disciple : « *Le Ciel lui-même parle-t-il jamais ?* » Entretiens, XVII. 19.

ACTUEL, PRÉSENT

今 actuel, présent

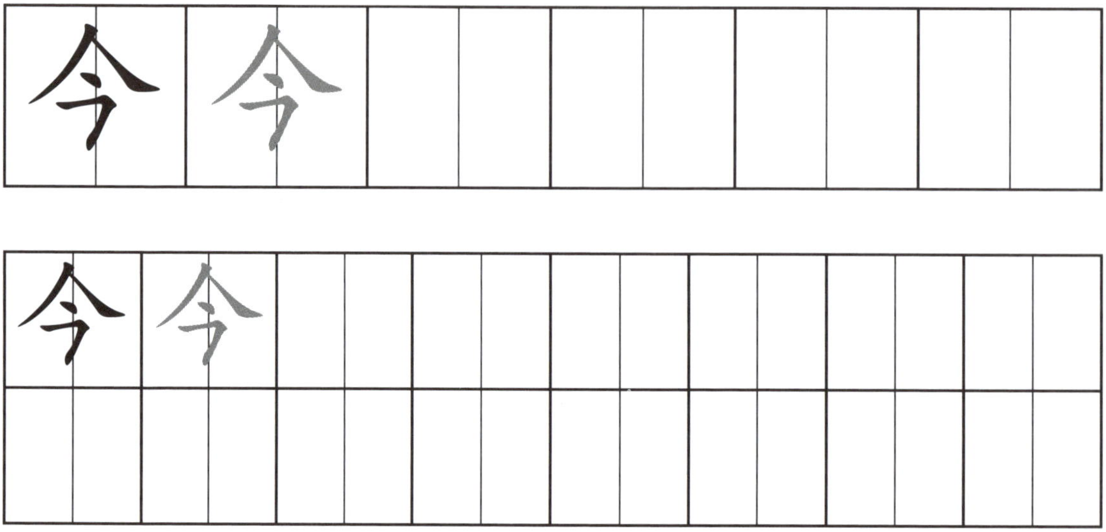

丿 人 仒 今

今 今

今 今

Actuel, présent, **jīn**, 1er ton, haut et continu. On entend approximativement [dyine]. Le phonème **j** du pinyin n'existe ni en français ni en anglais. Il est réussi lorsque l'on sent un filet d'air vibrer au bout de la langue, juste derrière les dents.

En haut, on trace le trait oblique gauche puis le trait oblique droit en partant du sommet central. Ensuite le point intérieur incliné à droite, tel une touche rapide de la pointe du pinceau. Et, enfin, le dernier trait brisé à un angle de 60° environ. Le sommet, le point et la fin du dernier trait sont alignés sur l'axe médian vertical.

En associant le signe 今 **jīn** *présent* et le signe 天 **tiān** *ciel*, on obtient 今天 **jīntiān** [dyine-t'ienne] *aujourd'hui*, littéralement *(présent-jour)*. Les caractères chinois se combinent pour former des mots.

Palier 3

Deux généralités et deux conseils
– La plupart des caractères chinois s'achèvent en bas à droite ou au milieu.
– Un signe se trace, globalement, de haut en bas et de gauche à droite.
– Étudiez le point de départ de chaque trait.
– Étudiez l'inclinaison des courbes et des obliques.

Questions
1. Les deux derniers traits de 天 **tiān** [t'ienne] *ciel* sont-ils parfaitement symétriques ?
   → ....

2. Que sont les traits fondamentaux ?
   → ....

3. Que signifient 一天 **yī tiān**, 三天 **sān tiān** ?
   → ....

4. Les deux signes 天 et 夫 sont-ils identiques ?
   → ....

Un oubli et trois observations
– Au crayon ou au stylo, on oublie les pleins et les déliés que l'on effectue au pinceau.
– Observez la proportion entre le haut et le bas d'un signe avant de le tracer.
– Observez où passe l'axe médian vertical.
– Observez attentivement l'orientation des points.

Questions
5. Dans 今 **jīn**, les deux traits obliques se touchent, mais…
   → ....

6. Vous avez appris 3 nouveaux traits fondamentaux. Lesquels ?
   → ....

7. Dans 今 **jīn**, le point est-il descendant et oblique ?
   → ....

8. 今天 **jīntiān** [dyine t'ienne] est un mot composé de deux caractères qui signifie…
   → ....

① Non, leurs points de départ sont différent, et l'un est courbe, l'autre presque droit. ② Ce sont des traits simples qui se combinent pour former un caractère chinois. ③ *Un jour, trois jours.* ④ Non, 天 **tiān** *ciel* ; 夫 **fū** *maître*. ⑤ … ne se croisent pas. ⑥ L'oblique gauche ╱ , un des traits brisés ⁊ et le point ⟍. ⑦ Oui. ⑧ *aujourd'hui.*

COMBIEN ?

几 combien ?

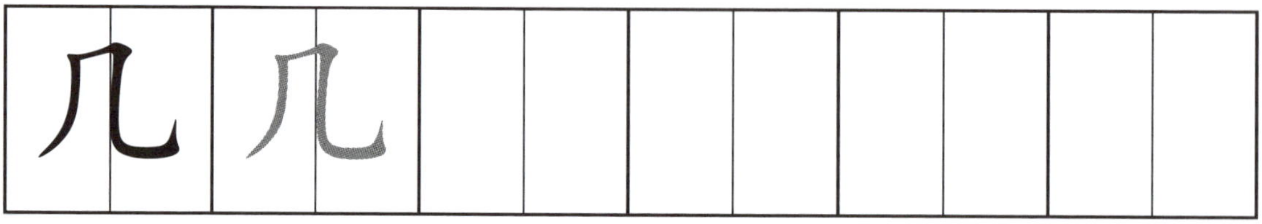

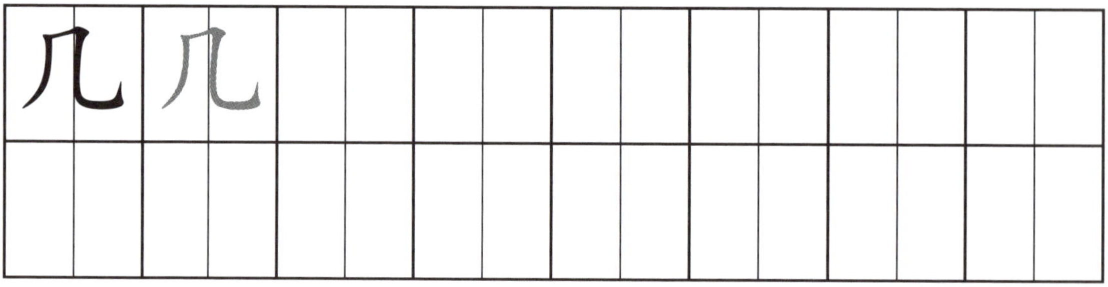

Combien ? **jǐ**, 3ᵉ ton. On entend [dyii]. Le 3ᵉ ton, noté ˇ au-dessus de la voyelle, est un ton bas. Alors prenez une voix de basse !

Quant à **j** en pinyin, il n'a pas d'équivalent en français. Fiez-vous à l'approximation [dyii] et tâchez de faire vibrer un filet d'air derrière vos dents.

Vous connaissez déjà le premier trait vertical incurvé. Le second trait comporte deux angles : le premier est droit et le second plus arrondi. Le crochet final évoque le mouvement du pinceau relevé d'un coup sec. Ces deux traits partent du même point, sans se croiser, et descendent jusqu'à une base horizontale invisible.

Cet interrogatif sert à demander la date du jour : 今天几日？ **Jīntiān jǐ rì ?** [dyine t'ienne dyii jeu] *Quelle date sommes-nous ? (aujourd'hui numéro combien ? jour)*.

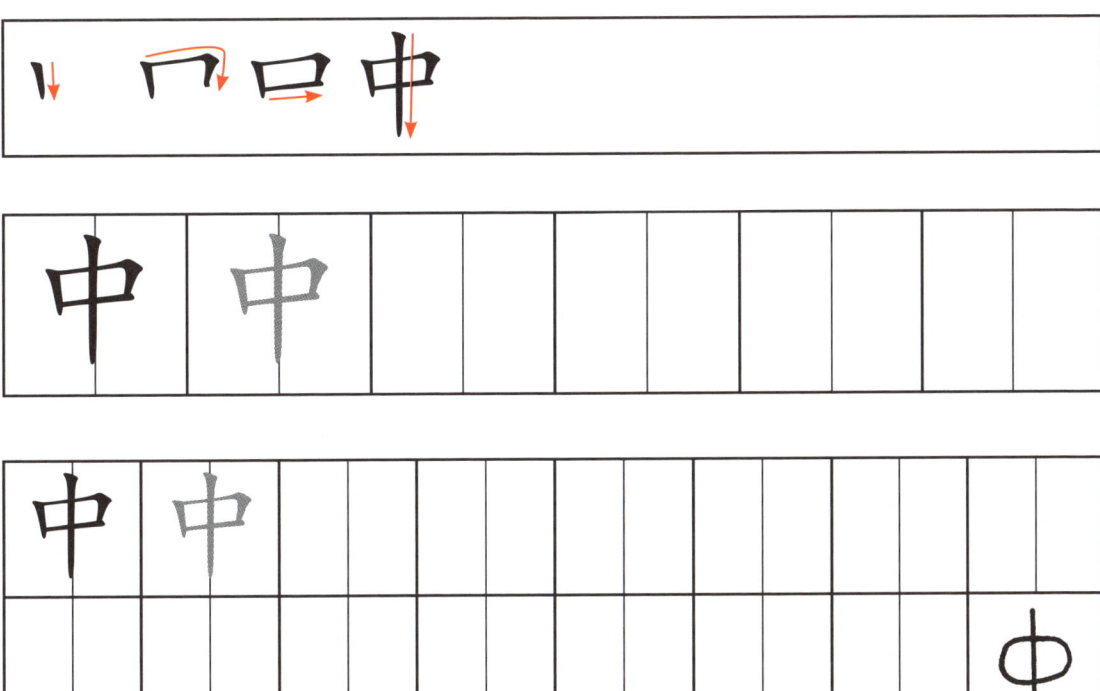

Milieu, *centre*, **zhōng**, 1er ton. On entend [djong] ou plutôt [djong]. En effet, **on** est un peu nasalisé mais on n'entend pas **g** à la fin. Pensez au son haut et continu du diapason pour obtenir le 1er ton.

Remarquez la symétrie gauche-droite de ce beau signe. Il faut fermer le rectangle, qui comporte 3 traits, avant de tracer le trait vertical médian. Attention : la base du rectangle va de gauche à droite et se situe à hauteur de l'axe médian horizontal.

Le signe antique représentait sans doute une cible de tir à l'arc, fixée à un piquet planté dans le sol *(voir ci-dessus)*. D'après vous, quel est le plus difficile : tirer une flèche en plein dans le mille ou écrire joliment ce caractère ?

PAYS, ROYAUME

国 pays, royaume

Pays, *royaume*, **guó**, 2ᵉ ton, montant ♪. En pinyin, **gu** se prononce entre *goût* et *coût*. On entend donc une syllabe entre [gou-o] et [kou-o].

Le contour est un mur d'enceinte, comme celui de la Cité interdite de Pékin. On trace le rempart de l'ouest, puis ceux du nord et de l'est d'un seul jet. On place à l'intérieur un symbole royal 王 **wáng** *roi* auquel on ajoute un point pour former 玉 **yù** *jade*. On finit par le rempart du sud. En fait, ce signe a été simplifié *(voir équivalences entre signes simplifiés et signes traditionnels page 116)*.

En combinant 中 **zhōng** et 国 **guó**, on obtient 中国 **Zhōngguó** [djong-gouo] *la Chine*. Ce mot désignait à l'origine les royaumes centraux du bassin du fleuve Jaune, auxquels furent agrégées au fil du temps d'autres contrées qui forment la Chine actuelle : 今日中国 **jīnrì Zhōngguó** [dyine-jeu djong-gouo].

ALLER À…

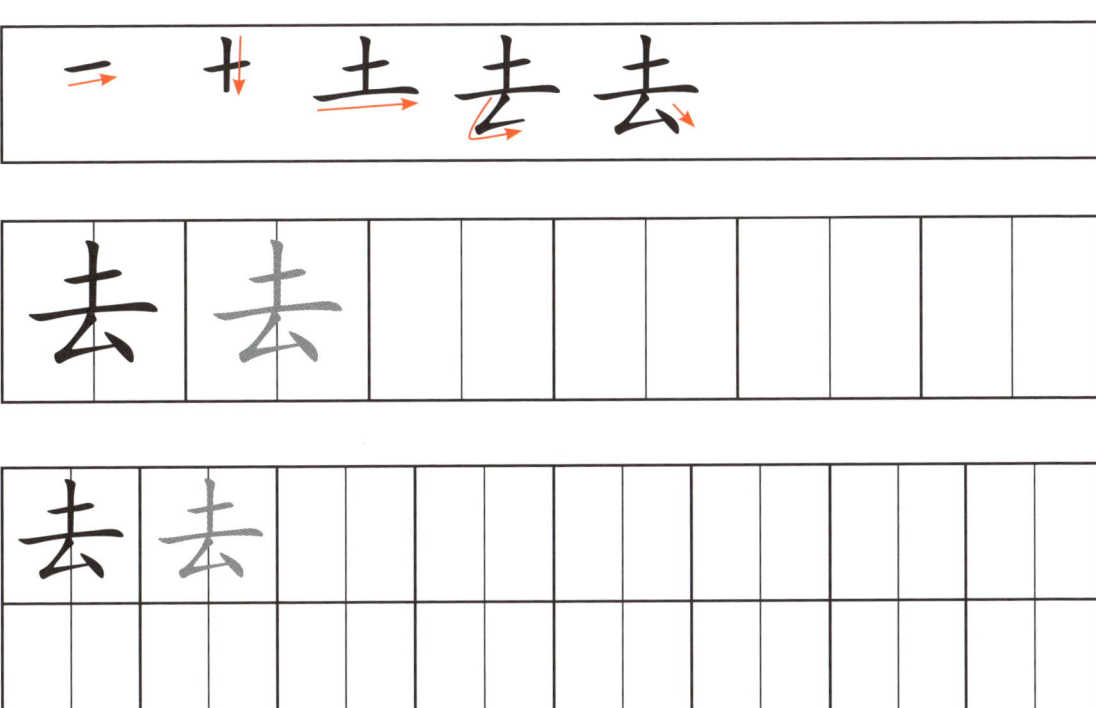

Aller à, **qù**, 4ᵉ ton, descendant ↘ et bref. On entend [tch'ü]. En pinyin, **q** est lui aussi trompeur. On entend [tch'] en soufflant fort comme dans *a… tch'oum* !

Ce signe se compose de cinq traits fondamentaux. Celui du bas, ∠, est nouveau pour vous.

La partie supérieure est un composant fréquent, essayez de retenir l'ordre des traits : petit trait horizontal, puis petit trait vertical et, enfin large horizontal médian. En respectant la coutume graphique séculaire, vos signes trouveront naturellement leur équilibre.

Prenez une feuille quadrillée pour écrire 去中国 **qù Zhōngguó** [tch'ü djong-gouo] *aller en Chine*. 1) Révisez les traits. 2) Tracez les signes en l'air en grand, en petit, puis sur la feuille. 3) Posez le bas des signes sur une ligne, sans la dépasser. 4) Gardez le même intervalle entre chaque signe. Le résultat est trop gros ? Ce n'est pas grave !

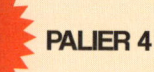

Palier 4

Deux principes et une règle absolue
– Un caractère chinois n'est pas une lettre. C'est une syllabe, un sens, un mot.
– En combinant deux signes, donc deux syllabes, on obtient un autre mot.
– L'intervalle entre chaque signe doit toujours rester strictement le même.

Questions

1. Les enfants de République Populaire de Chine apprennent-ils la transcription pinyin ?
→ ....

2. Les voyelles et consonnes du pinyin ont une prononciation étrange. Pourquoi ?
→ ....

3. Que signifient 中 **zhōng**, 国 **guó**, 中国 **Zhōngguó** et 去中国 **qù Zhōngguó** ?
→ ....

4. Dans 去中国, tous les signes sont-ils équidistants ?
→ ....

5. Le sens et l'ordre des traits, le positionnement d'un signe sont-ils importants ?
→ ....

Tout observer, en particulier :
– les deux axes médians, vertical et horizontal ;
– la symétrie et la dissymétrie ;
– les points de contact, le degré des angles et les points d'intersection ;
– les points de départ et d'arrivée d'un trait relativement aux autres.

Questions

6. Les signes 几 **jǐ** [dyi] et 九 **jiǔ** [dyioou] sont-ils identiques ?
→ ....

7. Que signifie la question 几月几日 ? **Jǐ yuè jǐ rì ?** [dyi üé dyi jeu] ?
→ ....

8. Et la réponse 十月三日 **Shí yuè sān rì** [sheu üé sane jeu] ?
→ ....

9. Vous connaissez trois traits fondamentaux avec un angle. Lesquels ?
→ ....

10. Certains caractères ont été simplifiés au xxᵉ siècle. Vrai ou faux ?
→ ....

① Oui. L'un des buts est d'unifier la prononciation en « langue commune ». ② Parce que les phonèmes du chinois diffèrent beaucoup de ceux du français. ③ 中 *milieu*, 国 *pays, état*, 中国 *la Chine* et 去中国 *aller en Chine*. ④ Oui, l'intervalle entre chaque signe doit rester le même. ⑤ Oui, très. En particulier pour la lisibilité, lorsque vous écrirez plus vite. ⑥ Non. Pas de croisement dans 几, le chiffre neuf. ⑦ *C'est à quelle date ?* ⑧ *Le 3 octobre.* ⑨ 丁 dans 日 [üé] ; 𠆢 [dyine] et 乚 [dyi'ü] dans 九 **jǐn** 𠃌 dans 𠃊 [tch'ü]. ⑩ Vrai en République Populaire de Chine. Taïwan et Singapour ont gardé les caractères traditionnels.

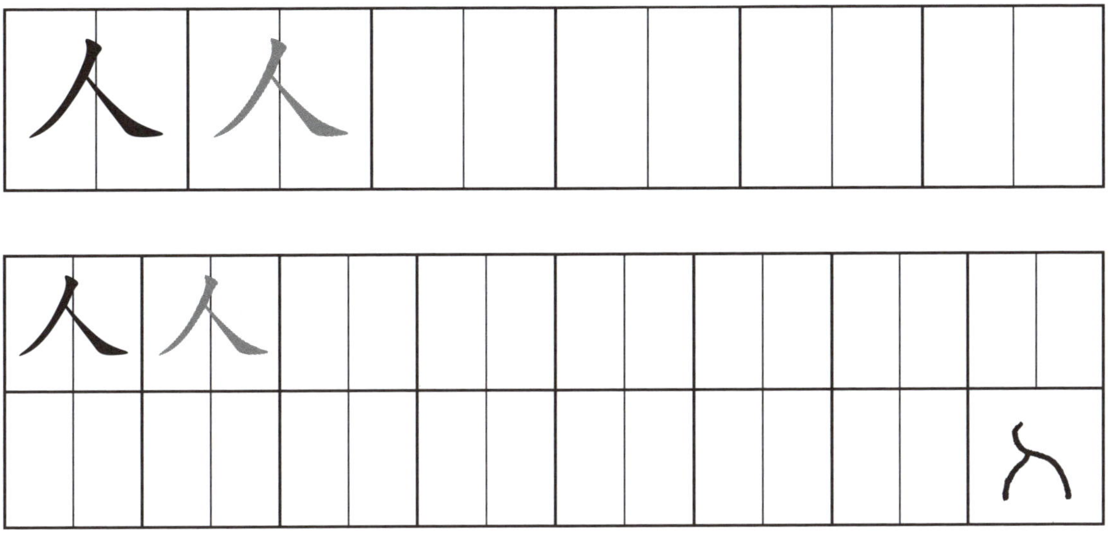

Homme, humain, **rén**, 2ᵉ ton, montant. On entend entre [jenne] et [jeune].

Le signe antique montrait un bipède en marche *(voir ci-dessus)*. Certes, les jambes de cet homme partent de haut, mais pas de la tête… Retenez l'ordre des traits : le buste et la jambe gauche, puis la jambe droite. Gauche, droite, en avant, marche !

Au crayon ou au stylo à bille, les pleins ne peuvent pas être marqués : aucune importance. Les feutres fins ne conviennent pas pour les petits traits intérieurs. Si vous possédez un pinceau chinois, achetez une ardoise pour vous entraîner… avec de l'eau.

中国人 **zhōngguórén** [djong-gouo-jenne] *Chinois(e) (Chine-personne).*

多 beaucoup, nombreux

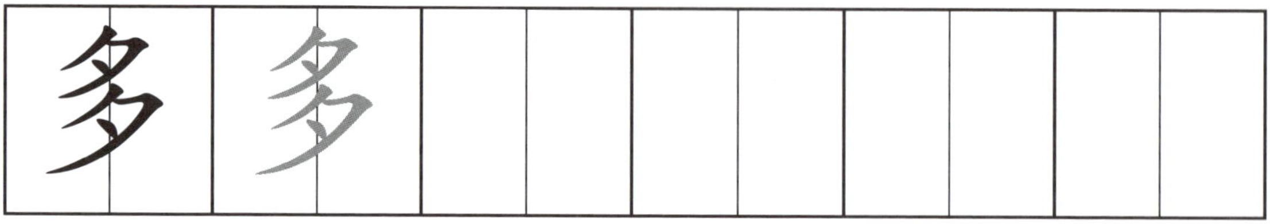

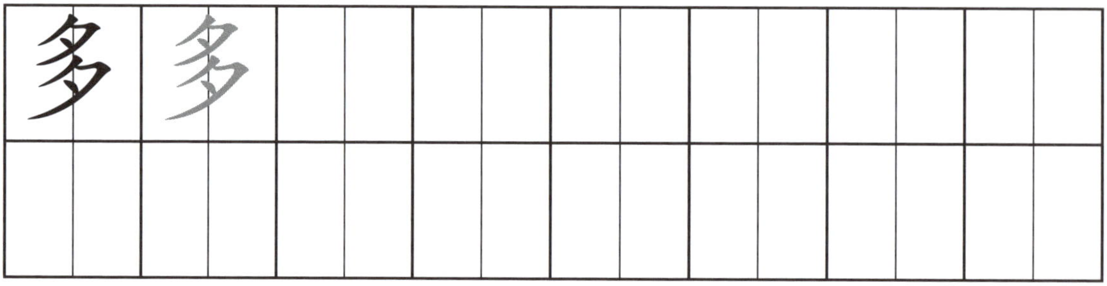

Beaucoup, *nombreux*, **duō**, 1er ton, haut et continu. On entend [dou-o]. En pinyin, **d** se prononce entre le *d* et le *t* français.

Le signe antique était censé représenter deux proies, sans doute un bon butin de chasse, l'abondance en somme.

Pas de nouveaux traits ici, mais ils sont agencés, positionnés et répétés de façon très spéciale. Observer où l'axe vertical médian traverse cette « brochette » vous aidera à bien placer les deux « bouts de viande ». Attention au point oblique qui obture chaque proie sans croiser le trait brisé qui le précède.

Je rentre du marché et je dis : 今天人多 ! **Jīntiān rén duō** ! [dyine-t'ienne jenne douo] *Il y avait du monde aujourd'hui !*, littéralement *aujourd'hui gens nombreux*.

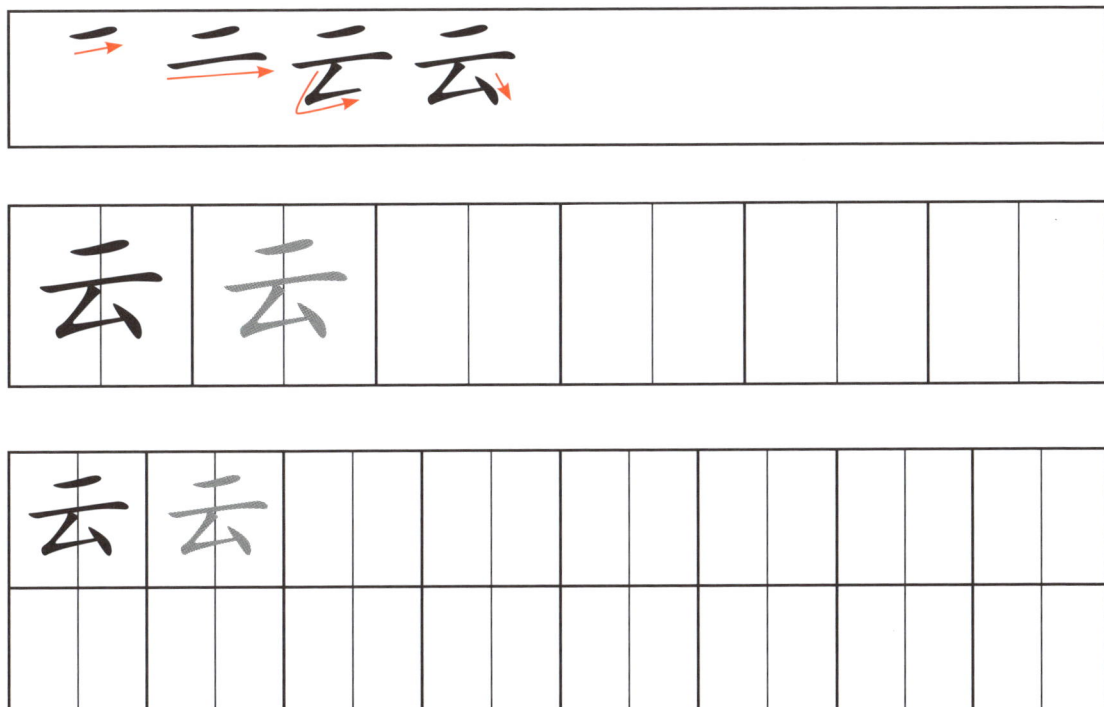

Nuage, **yún**, 2ᵉ ton, montant. On entend [yüne].

Le signe traditionnel était chapeauté par le signe de la *pluie* 雨. La modernité privilégiant la vitesse, reconnaissons qu'à la main, 云 s'écrit plus vite que 雲. Grâce à la transcription pinyin, l'ordinateur écrit encore plus vite les deux formes !

Les quatre traits fondamentaux qui composent ce signe vous sont déjà connus. Attention toutefois : aucun ne se croise.

Ce matin, la météo annonce : 今天多云。 **Jīntiān duō yún.** [dyine-t'ienne douo yüne] *La journée sera nuageuse*, littéralement *aujourd'hui beaucoup nuages*.

MONTAGNE

山 **montagne**

Montagne, **shān**, 1ᵉʳ ton, haut et continu. On entend [shane].

Le signe antique figurait trois montagnes en pain de sucre *(voir ci-dessus)*, comme celles du relief karstique de Guilin 🕮, haut lieu touristique du Sud-Ouest de la Chine.

Ce signe peut s'inscrire dans un triangle △. On part du sommet de la plus haute montagne. Vient ensuite ∟, apparenté à ∠. Le dernier trait descend légèrement plus bas que les deux premiers.

Aux confins de l'Ouest du pays, dans la région autonome du Xinjiang 🕮 et en Asie centrale, une superbe chaîne de montagnes culmine à 4 750 m. Ce sont les *Monts célestes* 🕮 天山 **Tiānshān** [t'ienne-chane] *(ciel-montagne)*.

Eau, **shuǐ**, 3ᵉ ton, grave. On entend [shoué] comme dans le verbe français *échouer*.

Au premier coup d'œil, ce signe de l'eau paraît symétrique. Il ne l'est pas.

Tracez d'abord l'axe médian, un trait vertical avec crochet final vers la gauche. La main rejoint ensuite le point de départ du deuxième trait 乛. À droite de l'axe, tracez ensuite un point long qui rejoint cet axe et, enfin, un trait oblique partant de l'axe. On termine donc ce signe en bas à droite, comme souvent. Il pourrait être contenu dans un cercle ○. À vous d'essayer sur une feuille ou sur une ardoise.

Si l'on associe *montagne* et *eau*, on obtient : 山水 **shānshuǐ** [chane-choué] *paysage*. On évoque ici plutôt un paysage verdoyant du Sud, car le Nord manque d'eau.

CHAMP

田 champ

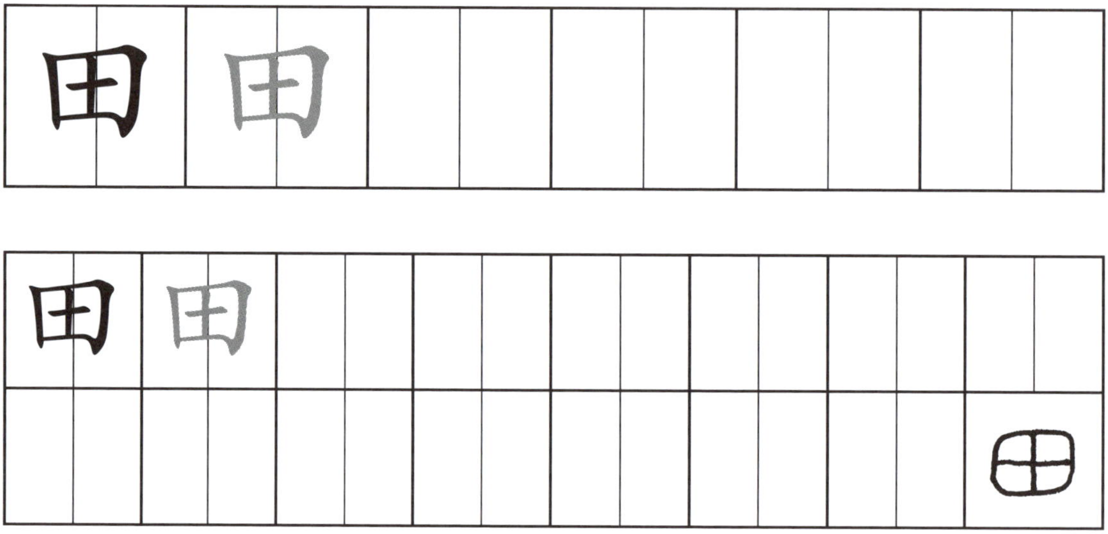

丨 冂 冃 用 田

Champ, **tián**, 2ᵉ ton, montant. On entend [t'ienne]. Attention : à l'oral, 天 **tiān** *ciel* et 田 **tián** *champ* se différencient uniquement par le ton…

Ce pictogramme représente des parcelles cultivées, délimitées par des rigoles et diguettes qui servent à irriguer, à retenir ou drainer l'eau.

On trace d'abord le bord gauche, le haut et le bord droit d'un seul jet, puis l'intérieur et enfin la base. Ainsi procède-t-on en même temps de gauche à droite et de haut en bas. L'élégance de ce signe tient à ce que les deux bords latéraux sont imperceptiblement inclinés. Ne tracez pas ce signe comme les enfants dessinent une fenêtre : un gros carré avec une croix dedans !

水田 **shuĭtián** [choué-t'ienne] désigne un *champ inondé (eau-champ)*, *une rizière*.

PEINDRE, DESSINER

画 peindre, dessiner

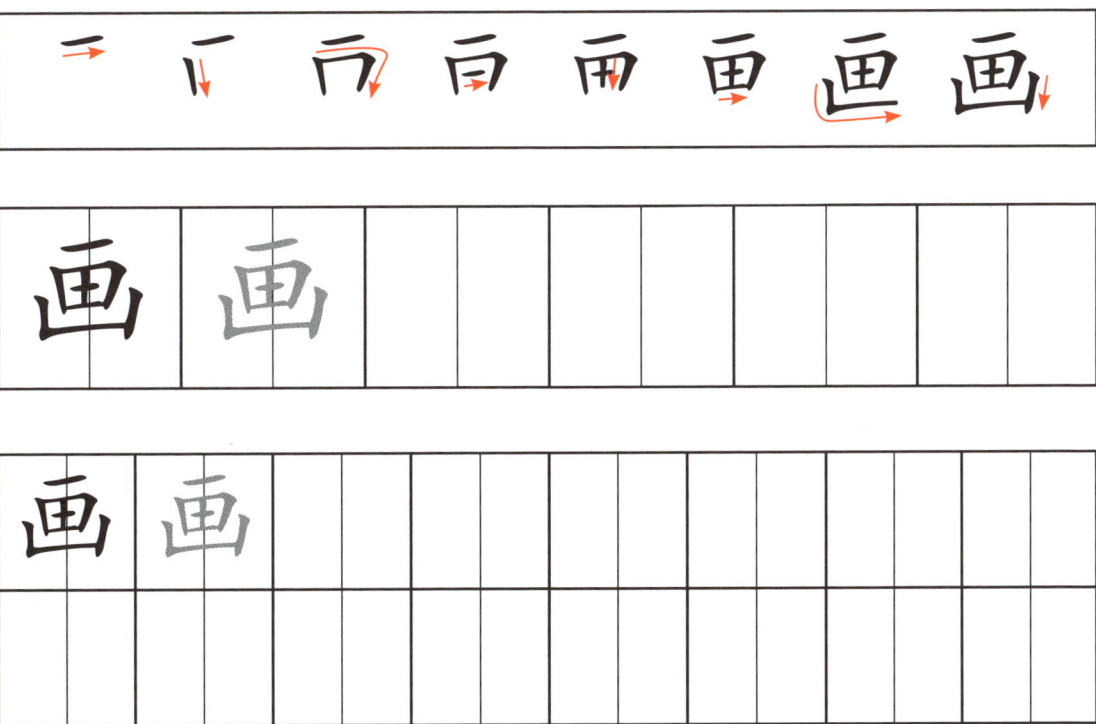

Peindre, *peinture*, *dessiner*, *dessin*, **huà**, 4ᵉ ton, plongeant et bref. On entend [h'oua]. En pinyin, **h** est guttural, mais sans forcer. En français, il ressemble à un *r* léger suivi d'un souffle ∈.

Ce signe a été simplifié *(voir page 116)*. Il figure un champ, inclus dans un cadre incomplet. L'ordre des traits n'a rien d'évident. D'abord le petit horizontal du haut, puis le champ et enfin la base, en deux traits et non trois.

Ce mot est à la fois verbe et nom. Donc 画画 **huà huà** signifie littéralement *peindre une peinture* ou *dessiner un dessin*, c'est-à-dire *peindre* ou *dessiner*. On désigne par 国画 **guóhuà** la *peinture traditionnelle chinoise (pays-peinture)*, exécutée à l'encre et à l'eau. Cet art ancien s'est largement renouvelé au xxᵉ siècle. Il est devenu soit plus coloré, soit plus graphique.

Palier 5

Les caractères chinois se tracent globalement :
– de haut en bas ;
– de gauche à droite.

Questions

1. Le signe du *nuage* 云 **yún** [yüne] se trace globalement…
→ ....

2. Le signe de *l'homme* 人 **rén** [jeune] s'écrit à la fois…
→ ....

3. Le signe de l'eau 水 **shuǐ** [shoué] commence par le trait…
→ ....

4. Certains caractères sont parfaitement symétriques. Vrai ou faux ?
→ ....

5. Dans quels signes trace-t-on d'abord le contour, puis l'intérieur et enfin la base ?
→ ....

Les traits fondamentaux se distinguent par :
– la taille (petite, moyenne ou grande) ;
– l'orientation ou l'angle ;
– la présence ou l'absence d'un crochet final.

Questions

6. Quand doit-on tracer le trait vertical dans 中 **zhōng** [djong] et dans 山 **shān** [chane] ?
→ ....

7. Les traits brisés ∟ et ∠ sont-ils apparentés ?
→ ....

8. Le trait vertical est-il identique dans 中 **zhōng** [djong] et 水 **shuǐ** [choué] ?
→ ....

9. Combien de traits comptez-vous dans 画 **huà** [h'oua] ?
→ ....

10. Que signifie 山水画 **shānshuǐ huà** [chane-choué h'oua] ?
→ ....

① de haut en bas. ② de haut en bas et de gauche à droite. ③ le plus haut, donc le trait vertical médian. ④ Faux. Il subsiste souvent un détail qui diffère. ⑤ 日 **rì** [jeu] ; 田 **tián** [t'ienne]. ⑥ En dernier dans 中 ; en premier dans 水. ⑦ Oui, mais l'angle diffère. ⑧ Non, dans 水 le trait vertical possède un crochet final. ⑨ 8 traits en tout, pas 9. ⑩ *peinture de paysage*.

刀 couteau

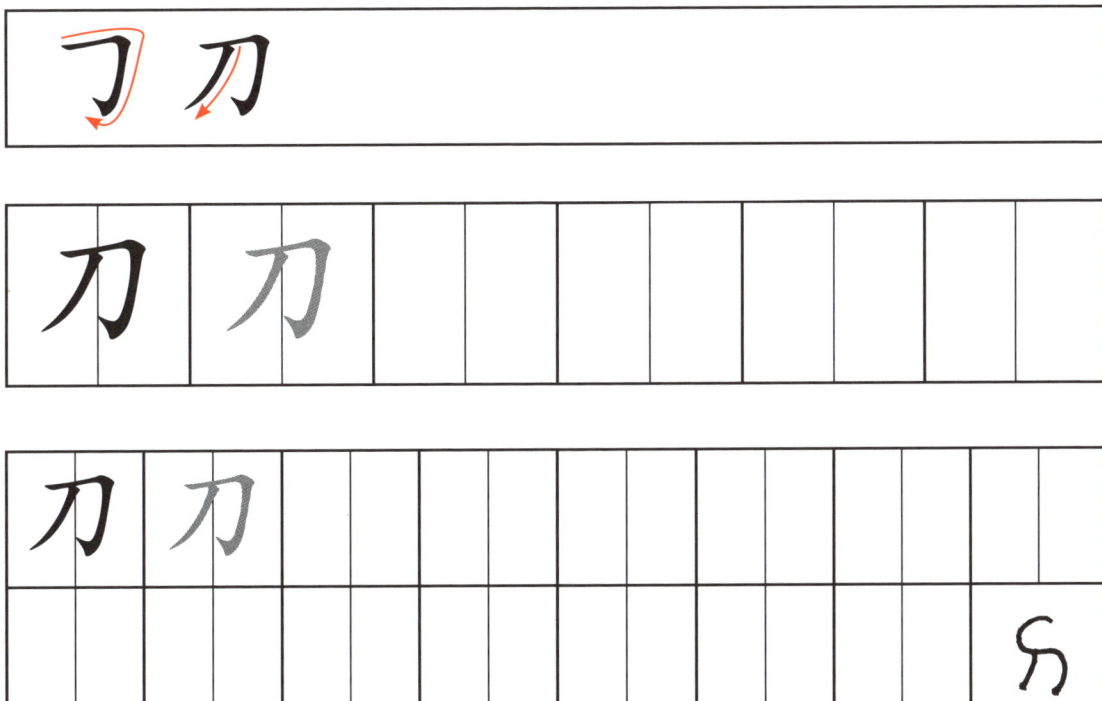

Couteau, **dāo**, 1er ton, haut et continu malgré la diphtongue **ao**. En pinyin, **d** se prononce entre le *d* et le *t* français.

Ce pictogramme évoque la forme du couteau chinois avec lequel on hache les légumes et la viande. On trace d'abord le contour de la lame à droite. Son petit crochet final indique que la main remonte vers le point de départ du deuxième trait. Ce trait oblique vers la gauche serait l'autre bord du couteau et le manche. Ce pictogramme est certes très stylisé.

Si vous croisez les traits en haut, vous obtiendrez un autre signe, son et sens.

Ce signe simple sert de composant à d'autres caractères relatifs au sens de *couper* ou *partager*. C'est pourquoi on dit que ce signe est une « clé ».

力 force, effort

Force, *effort*, **lì**, 4ᵉ ton. En pinyin, cette syllabe se prononce comme en français, ce qui est très rare. Le 4ᵉ ton, descendant et très bref, a la même inflexion qu'un *Non !* catégorique. Mais il ne véhicule aucune idée de refus ou de colère, c'est juste sa musique propre.

Le signe antique représentait un araire ou un soc de charrue *(voir ci-dessus)*. Il évoque par là l'effort du labour. Ce pictogramme est ainsi devenu l'idéogramme de la *force*.

Le trait brisé est le premier. Il finit par un crochet. Contrairement au signe 刀 **dāo** *couteau*, les deux traits se croisent.

Ce signe sert également de clé à des caractères liés de près ou de loin à l'idée de *force* et d'*effort*.

HOMME, MASCULIN

男 homme, masculin

Homme, masculin, **nán**, 2ᵉ ton. On entend [nane]. Le deuxième ton est montant ↗, mais il ne faut pas partir de trop bas car sinon on entendrait un 3ᵉ ton grave.

Ce caractère combine deux signes déjà connus : 田 et 力, **tián** et **lì**, le *champ* et la *force* nécessaire pour manier l'araire. En Chine ancienne comme ailleurs, le labour était l'apanage des hommes.

La clé de ce signe est 力 **lì** *force*. Ici, un pictogramme et un idéogramme ont donc été combinés pour créer un nouvel idéogramme. Observez : 1) la proportion entre les deux composants, le haut et le bas. 2) l'endroit où passe l'axe médian. 3) Les deux traits du bas qui arrivent au même niveau sur une base invisible.

男人 **nánrén** se traduit aussi par *homme (masculin-personne)*.

FEMME, FÉMININ

女 femme, féminin

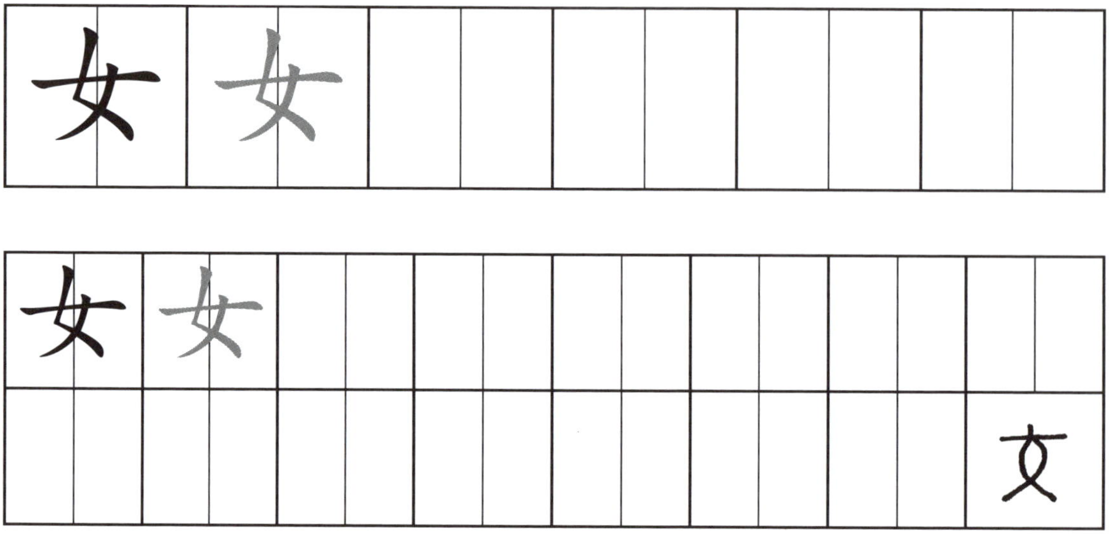

Femme, féminin, **nǔ**, 3ᵉ ton, grave. On entend [nü].

Ce caractère sert de clé à d'innombrables signes, liés plus ou moins à la féminité ou à sa représentation. Sa graphie n'est pas facile à équilibrer, les débutants ont tendance à grossir ou amincir la dame.

Le pictogramme antique représentait une femme, sans doute enceinte *(voir ci-dessus)*. Les signes antiques n'étaient pas unifiés. Plusieurs variantes ont peu à peu été synthétisées en un seul signe.

Le premier trait ∟ a subi une rotation vers la droite ↺. Le deuxième trait part d'un peu plus haut que l'angle du premier trait. Observez bien où placer l'intersection. Le signe s'achève par un trait horizontal unique figurant les deux bras.

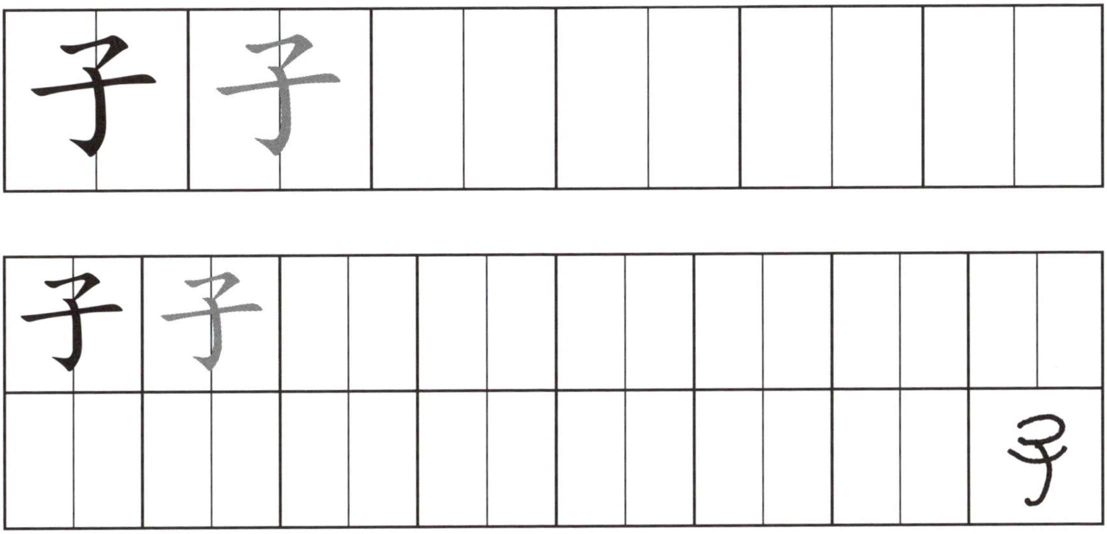

Enfant, *fils*, **zǐ**, 3ᵉ ton, grave. On entend [dzeu]. Ici, **i** se prononce [eu] comme dans 日 **rì** [jeu].

Le pictogramme antique représentait un bébé emmailloté, bras écartés, bouche ouverte, probablement prêt à être nourri *(voir ci-dessus)*. On trace d'abord la tête, puis le corps et on finit par un trait unique pour les deux bras. Ce signe est aussi une clé : la clé de l'*enfant*.

➜ 子女 **zǐnǚ** [dzeu-nü] représente *les fils et les filles*, *les enfants*.

➜ 天子 **tiānzǐ** [t'ienne-dzeu] désignait autrefois *le fils du Ciel*, à savoir *l'empereur*.

Nous verrons plus avant que ce caractère fait office de suffixe dans de nombreux mots. Quand il est suffixe, il se prononce au ton neutre, légèrement, c'est-à-dire sans ton.

BON, BIEN, D'ACCORD, ÇA VA

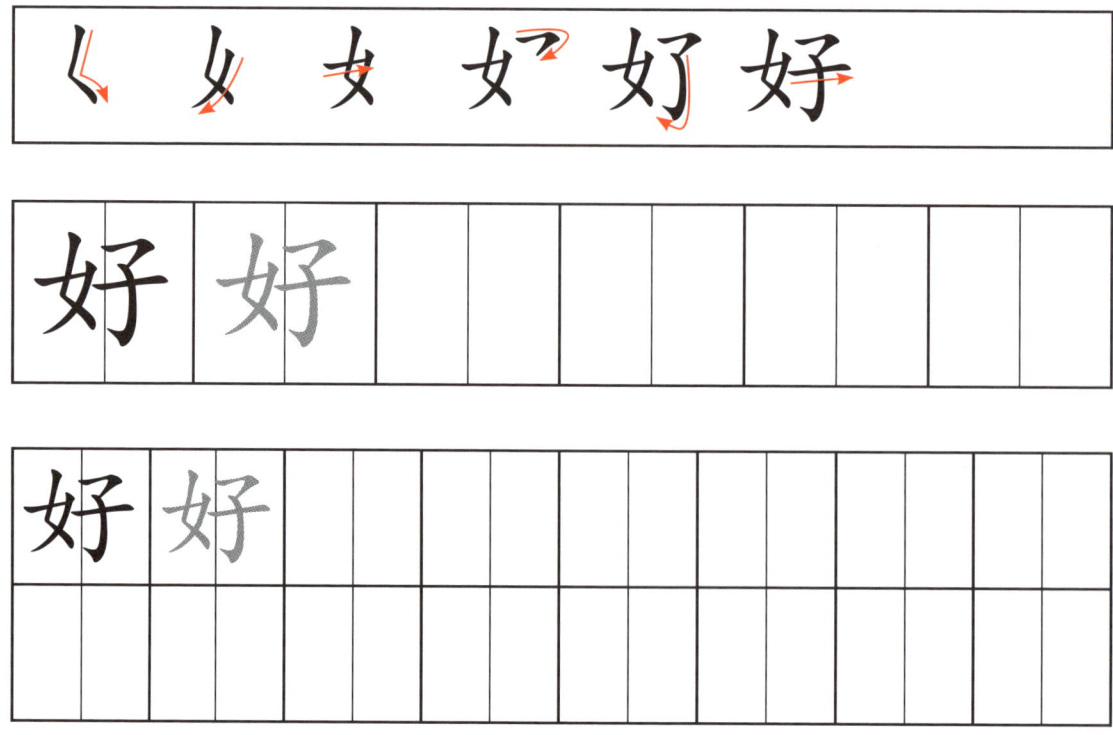

好 bon, bien, d'accord, ça va

Bon, *bien*, *d'accord*, *ça va*, **hǎo**, 3ᵉ ton, grave. On dit [h'ao] en soufflant, ou plutôt [h'ao] car le **o** final s'entend à peine.

La clé de la *femme* à gauche est ici associée à *l'enfant* à droite. Ainsi blottis l'un contre l'autre, ils sont heureux, *tout va bien* ! Mais le bébé est gros et la dame a perdu un bras… Bref, les deux pictogrammes réunis figurent une idée, c'est un idéogramme.

L'ordre des traits des deux composants reste le même, seules les proportions changent puisque le signe 好 **hǎo** rentre dans le même espace carré que chaque signe simple 女 **nǚ** et 子 **zǐ**.

Hǎo est souvent employé pour acquiescer : 好吗? **Hǎo ma ?** *C'est d'accord ?* 好! **– Hǎo !** *– D'accord !*

TOI, TU

你 toi, tu

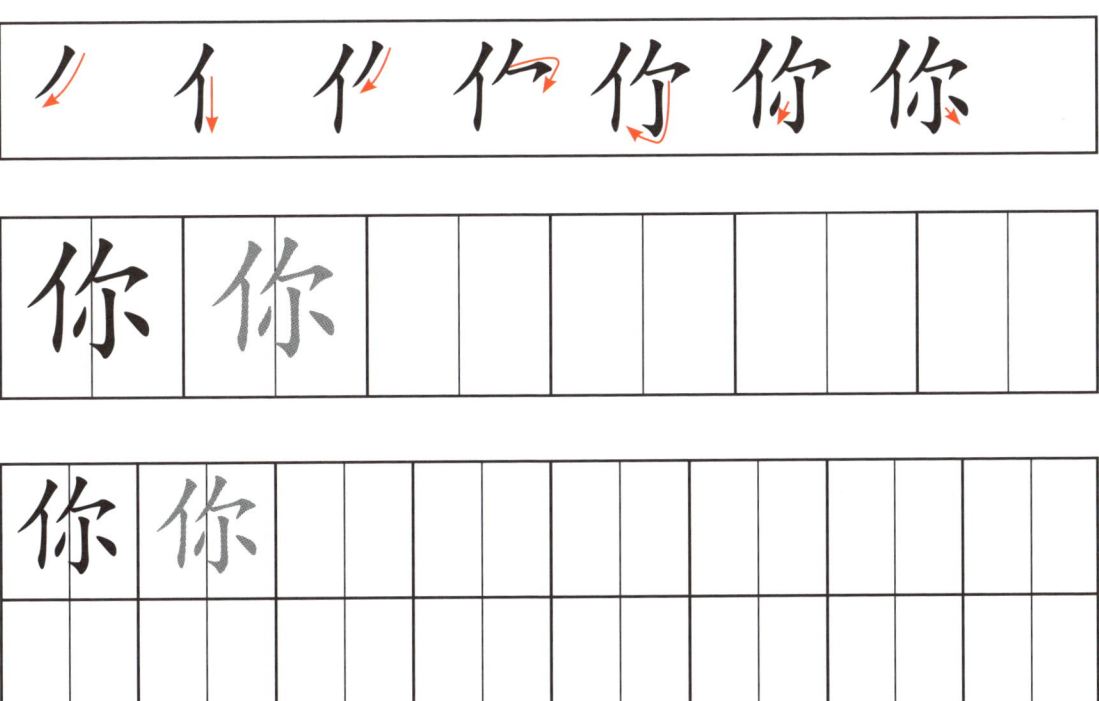

Tu, *toi*, **nǐ**. La syllabe a la même prononciation en pinyin qu'en français, si ce n'est qu'elle est au 3e ton, grave.

À gauche, la clé de l'homme 亻 occupe un tiers du carré. Il s'agit du signe 人 **rén** [jenne] *homme* mais aplati : le trait oblique gauche est monté d'un cran et le droit est devenu vertical.

Le composant de droite signifiait déjà *tu*, *toi* en chinois classique. Il comporte un nouveau trait fondamental : le trait horizontal à crochet. Observez bien la direction des points.

Bonjour ! 你好！ **Nǐ hǎo !** *(toi bien)* se dit pour saluer une personne.

Bonjour ! 您好！ **Nín hǎo !** *(vous bien)* se dit pour saluer poliment une personne.

Bonjour ! 你们好！ **Nǐmen hǎo !** *(vous tous bien)* se dit pour saluer un groupe de personnes.

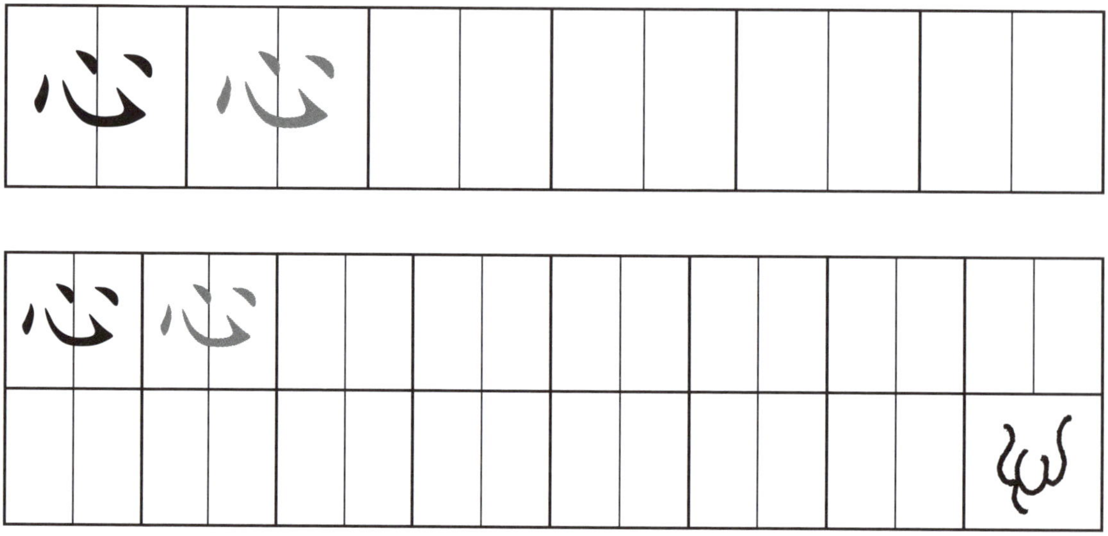

***Cœur,* xīn**, 1er ton, haut et continu. En pinyin, **x** transcrit un phonème situé entre le *s* et le *ch* français. On entend [ssine], avec une initiale chuintante.

Signe et clé du *cœur*, ce caractère commence par un point gauche dirigé vers le bas et finit par deux points hauts et obliques. Observer la position et l'orientation des trois points (oreillette, aorte et ventricule) vous aidera à bien tracer ce drôle de cœur, asymétrique et très dynamique ! Quant au deuxième trait, la base du cœur, il chavire un peu avant de remonter le flux sanguin…

Un caractère chinois n'est certes pas un schéma anatomique, mais ce type d'analogie favorise la mémorisation. 人心 **rénxīn** [jenne-ssine] signifie le *cœur humain*, non plus comme organe mais comme siège des émotions.

VOUS (DE POLITESSE)

您 vous (de politesse)

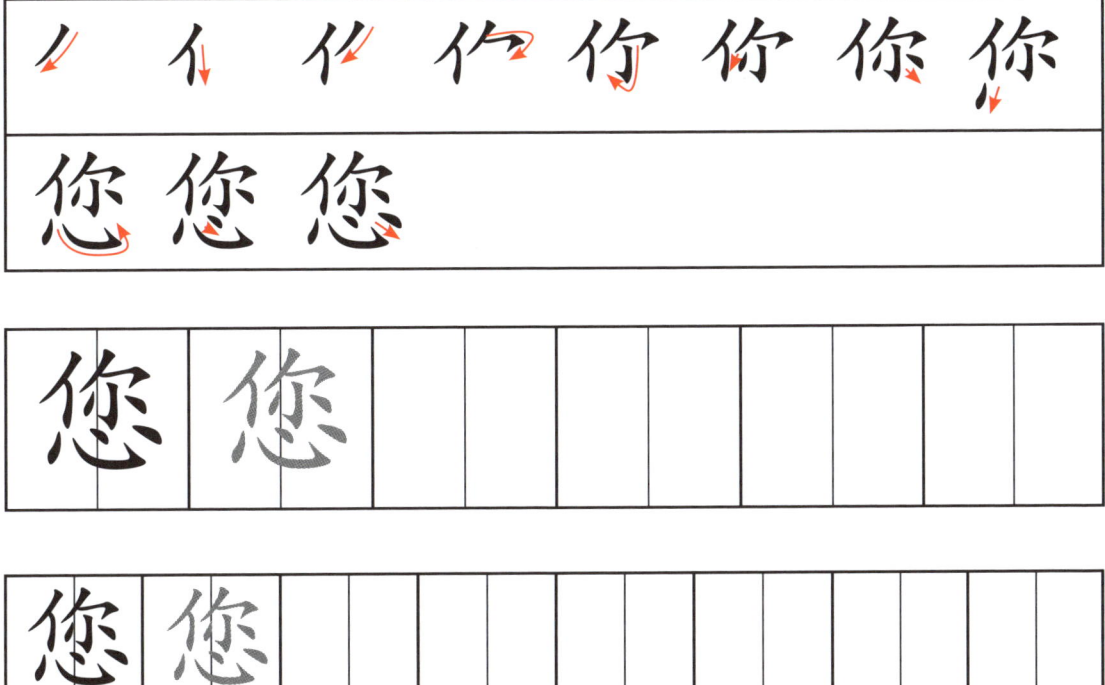

Vous (de politesse), **nín**, 2ᵉ ton, montant. On entend [nine].

Attention, il s'agit du *vous* de politesse français et non du pluriel de *tu*. On l'utilise par exemple comme marque de déférence envers un interlocuteur plus âgé.

Que de traits et de points ! Impressionnant ? En fait, ce signe n'est que la combinaison du caractère 你 **nǐ** *toi, tu* et de la clé du *cœur* 心 **xīn** que vous avez déjà appris. Seules les proportions changent afin que les onze traits tiennent tous dans un même carré : 你 se tasse un peu en haut et 心 en bas. L'ordre des traits reste le même.

Pour saluer poliment une personne – et une seule – vous direz : 您好 ! **Nín hǎo !** Ce qui équivaut à *Bonjour Madame !* ou *Bonjour Monsieur !*

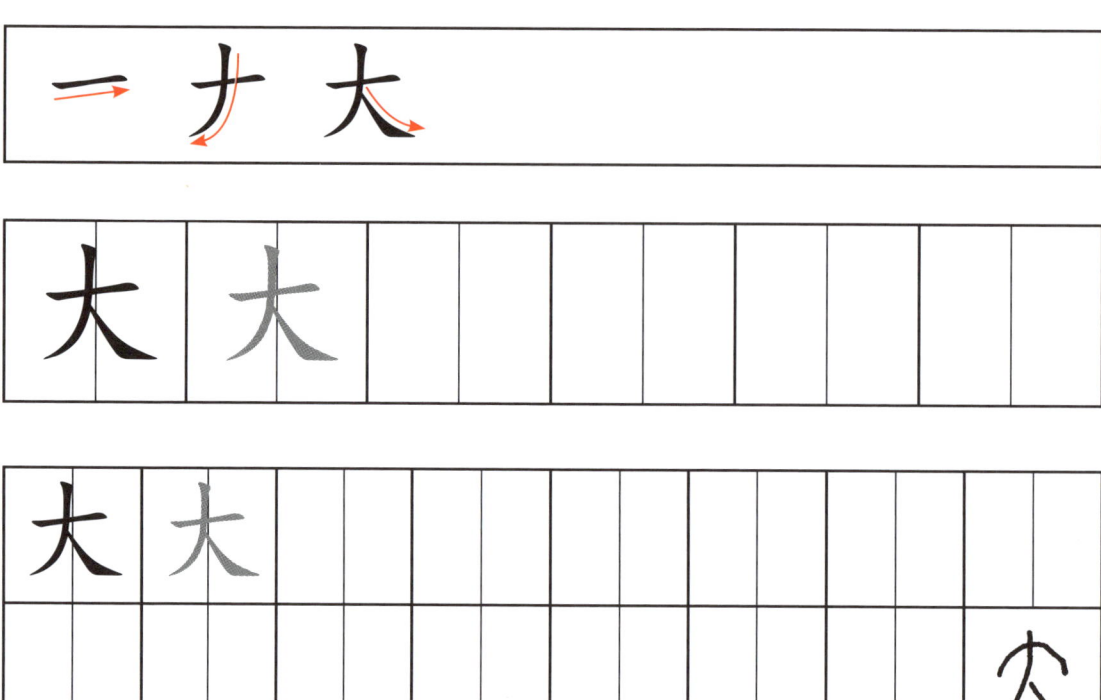

Grand, **dà**, au 4ᵉ ton, plongeant et bref. En pinyin, **d** se prononce entre le *d* et le *t* français.

Contrairement à 女 **nǔ**, le trait horizontal est ici le premier. On trace ensuite le signe de l'homme 人 **rén** [jenne]. Observez les proportions, les points de contact et d'intersection pour bien équilibrer… ce grand bonhomme.

Ce caractère s'emploie pour indiquer la taille des objets. Mais il renvoie également à l'âge ou à la prestance.

Autrefois, le commun des mortels s'adressait à un juge ou un haut fonctionnaire en l'appelant 大人 **dàrén**, *votre Honneur*, *votre Excellence*. Ce signe sert également à demander l'âge de quelqu'un : 你多大? **Nǐ duō dà ?** [ni douo da] *Quel âge as-tu ?*

PETIT, JEUNE

小 petit, jeune

Petit, *jeune*, **xiǎo**, au 3ᵉ ton, grave. En pinyin, **x** se prononce entre le *s* et le *ch* français. On entend approximativement [ssiao]. Veillez à ne pas confondre le **x** du pinyin et le *x* français, comme le font souvent les journalistes non avertis.

Vous avez déjà tracé cette séquence de traits dans le signe 你 **nǐ**, *tu*, *toi*. D'abord le trait vertical médian avec un petit crochet remontant vers la gauche, puis le point gauche et enfin le point droit. Remarquez que ces deux points descendent et divergent.

Cet adjectif fait référence à l'âge ou au statut d'une personne, pas à sa taille. Qualifiant une chose, il réfère cette fois à la taille, la grandeur, voire la faiblesse : 大国 **dà guó** un grand pays ; 小国 **xiǎo guó** *un petit pays*.

Quand il y a un danger, on dit : 小心 ! **Xiǎo xīn !** [ssiao-ssin] *Attention !*

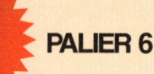

Palier 6

Deux déductions
– La clé d'un caractère est liée à son sens.
– La combinaison des signes aboutit à un énorme dictionnaire !

Questions
1. Qu'est-ce qu'un pictogramme ?

→ ....

2. Qu'est-ce qu'un idéogramme ?

→ ....

3. Quelles clés connaissez-vous ?

→ ....
....

4. Quels composants voyez-vous dans 好 **hǎo** ; 男 **nán** ; 您 **nín** et 国 **guó** ?

→ ....

5. Que signifie le nom 大小 **dàxiāo** ?

→ ....

Deux constats et beaucoup de devinettes
– Un caractère très simple peut être difficile à tracer joliment.
– Le crochet final d'un trait pointe en général en direction du début du trait suivant.
– Il ne faut pas inventer l'ordre des traits… mais on finit par le deviner !

Questions
6. Dans quels signes avez-vous remarqué un crochet ?

→ ....

7. Combien de traits y a-t-il dans 国, 多, 好, 您, 男, 山 et 女 ?

→ ....

8. Le trait horizontal est-il le premier dans 大, 十 et 女 ?

→ ....

9. Quelle différence existe-t-il entre 刀 **dāo** et 力 **lì** ? Quelle similarité ?

→ ....

① Un dessin stylisé, une sorte de logo. ② Un signe composite qui évoque une idée. ③ *femme* 女 ; *humain* 亻 ; *enfant* 子 ; *cœur* 忄 ; *soleil* 日 ; *lune* 月 ; *montagne* 山 ; *champ* 田. ④ *Femme et enfant* ; *champ et force* ; *toi et cœur* ; *mur d'enceinte et jade*. ⑤ *la taille, les dimensions (de quelque chose)*. ⑥ Dans 月 **yuè** ; 水 **shuǐ** ; 力 **lì** ; 子 **zǐ** ; 心 **xīn** ; 小 **xiǎo** ; 你 **nǐ**. ⑦ 8 dans 国 **guó** *pays* ; 6 dans 多 **duō** *beaucoup* ; 6 dans 好 **hǎo** *bon* ; 11 dans 您 **nín** *vous* ; 7 dans 男 **nán** *garçon* ; 3 dans 山 **shān** *montagne* et 3 dans 女 **nǚ** *femme*. ⑧ Le premier dans 大 **dà** *grand* et 十 **shí** *dix*, le dernier dans 女 **nǚ** *femme*. ⑨ Différence : croisement des traits. Similarité : on écrit de droite à gauche, ce qui est une exception.

CHEVAL, ÉQUIDÉ

马 **cheval, équidé**

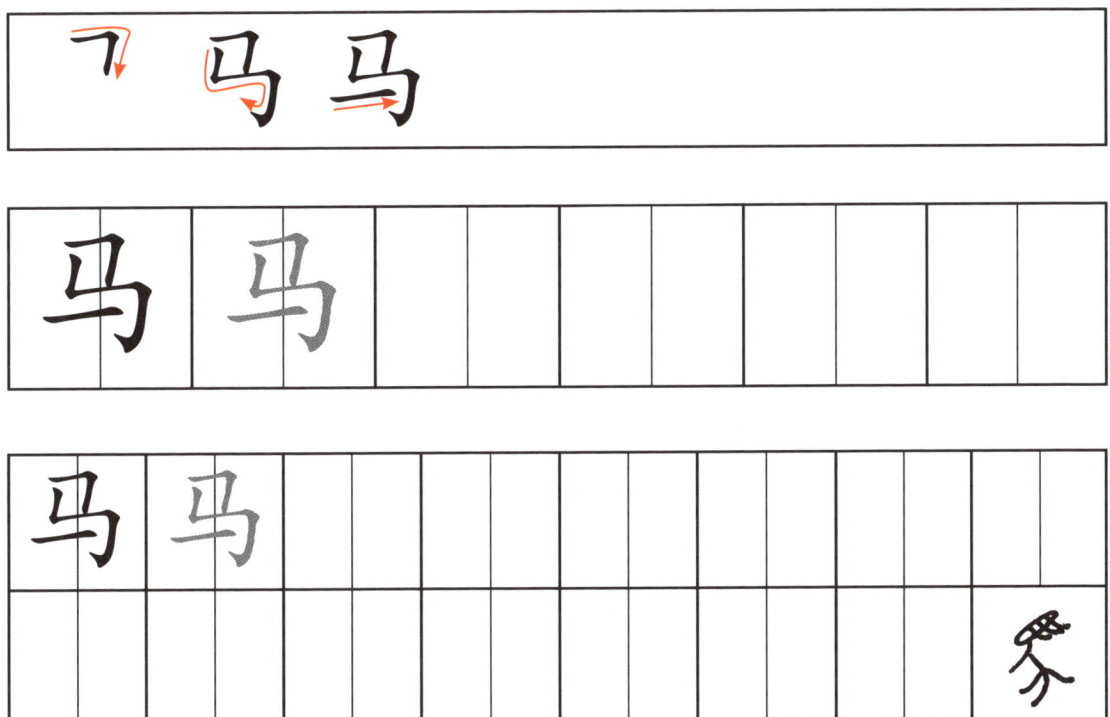

Cheval, *équidé*, **mă**, 3ᵉ ton, à voix grave.

Dans le pictogramme antique, on distinguait nettement la crinière, des pattes et la queue *(voir ci-dessus)*. Aujourd'hui, il ne lui reste plus que trois. Mais le cheval est toujours là, grâce à son deuxième trait continu ㄣ qui comporte deux angles et un crochet final.

Ce caractère sert de clé aux *équidés* : âne, mulet, onagre, etc. Mais aussi au chameau ! Dans l'Antiquité, chevaux et chameaux étaient tous deux onéreux, nobles et très utiles, notamment dans le Nord de la Chine : le cheval pour la guerre ou les chars, le chameau de Bactriane ⌐ pour transporter ou tracter de lourdes charges.

Mă est également un nom de famille chinois ⌐, comme celui du facteur Cheval…

吗 Est-ce que... ?

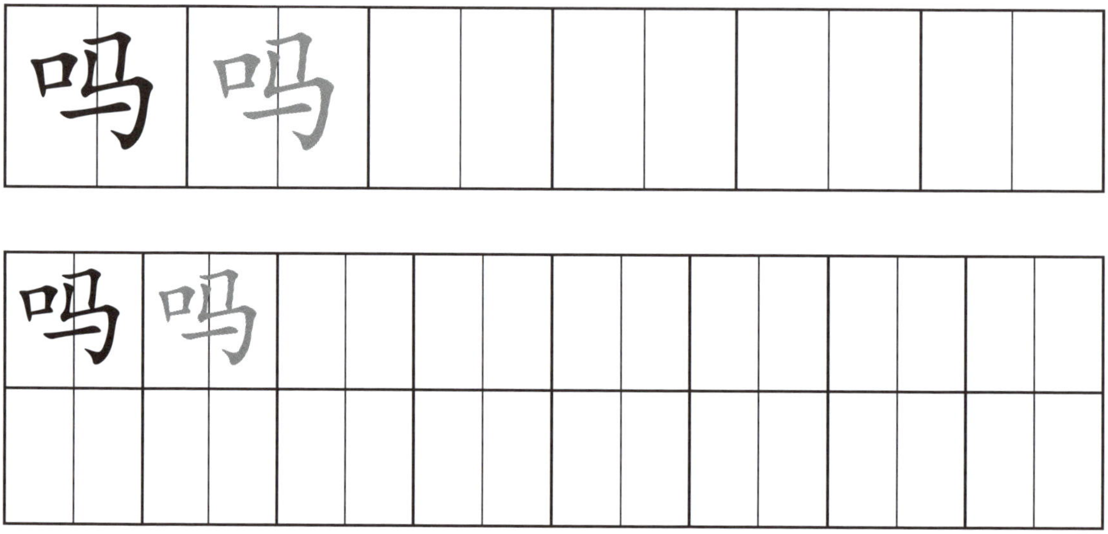

Ce signe interrogatif se transcrit **ma**. Contrairement au signe du cheval 马 **mǎ**, il n'a pas de ton, ce qui signifie que **a** est léger et discret. On entend [ma], presque [me], car on entrouvre à peine les lèvres.

C'est pourtant une *bouche* 口 **kǒu** [k'oou] qui lui sert de clé. Le *cheval* 马 n'est plus ici qu'un indice de son.

Selon le même procédé, on utilise la clé de la *femme* et le *cheval* comme indice de son pour écrire : 妈妈 **māma** [mama], *maman, mère*.

Cet interrogatif se place toujours en fin de phrase : 你好吗? **Nǐ hǎo ma ?** *(Est-ce que) tu vas bien ? Comment vas-tu ?* À ne pas confondre avec : 你好。 **Nǐ hǎo.** *Bonjour (à toi)*.

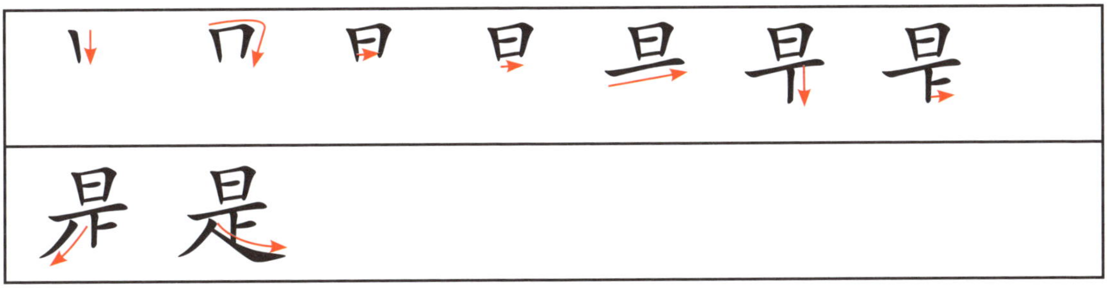

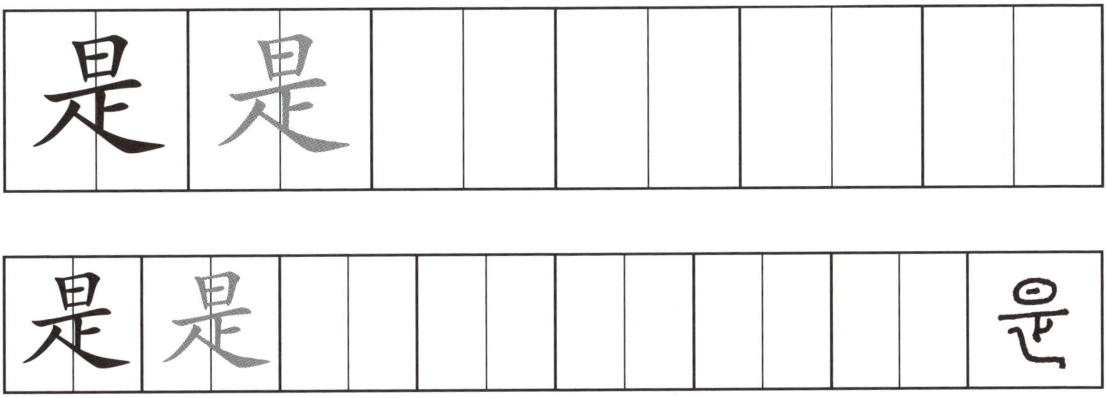

Le verbe *être* **shì**, au 4ᵉ ton, parfois au ton léger **shi**. On entend [sheu].

Que voit-on au-dessus de l'horizon ? Un soleil. Et au sol ? Un pied, peut-être une empreinte ? Mystère… En tout cas, on trace un petit ├ bien centré sous le soleil, puis deux traits obliques décalés sur la gauche et très dissymétriques.

Le verbe **shì** sert à identifier. Au téléphone : 喂，是你吗 **Wéi, shì nǐ ma ?** [wei, sheu ni ma] *Allô, c'est toi ?* / 是今天去吗? **Shì jīntiān qù ma ?** [sheu dyine-t'ienne t'chü ma] *C'est aujourd'hui qu'on y va ?*

Ne sachant pas si mon interlocuteur est japonais, coréen ou chinois, je peux toujours demander : 您是中国人吗? **Nín shì zhōngguórén ma ?** *Est-ce que vous êtes chinois(e) ?* La réponse sera peut-être : 我是中国人。 **Wǒ shì zhōngguó rén.** *Oui, je suis chinois(e).*

MOI, JE

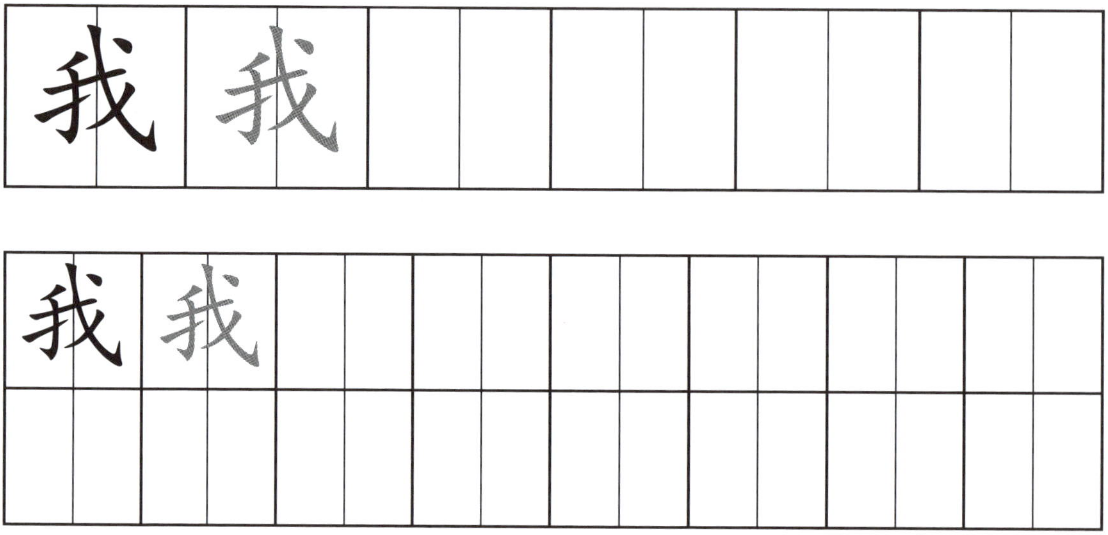

Moi, je, **wǒ**, 3ᵉ ton, grave. En pinyin, **w** se prononce comme dans le mot *Wi-Fi* et **o** comme dans le mot *or*. Le son **o** vient du fond de la bouche. Il ne faut donc pas avancer ni arrondir les lèvres.

Ce tracé, qui compte deux nouveaux traits fondamentaux, est très difficile. Le trait n° 4 remonte, ce qui est rare. Le trait n° 5 a une belle courbure… qu'on rate généralement un peu au début. Observez tout : les hauteurs, les angles, les fausses parallèles. Rien ne va dans le même sens, heureusement que les crochets pointent vers le trait suivant. Une vraie chorégraphie. Courage !

Suite de la conversation téléphonique : 是你吗？ **Shì nǐ ma ?** *C'est toi ?* 是我。 **– Shì wǒ.** *– Oui, c'est moi.* Dans l'avion, un passager questionné confirme qu'il est chinois : 我是中国人。 **Wǒ shì zhōngguórén.** *Oui, je suis chinois.*

NE... PAS ÊTRE

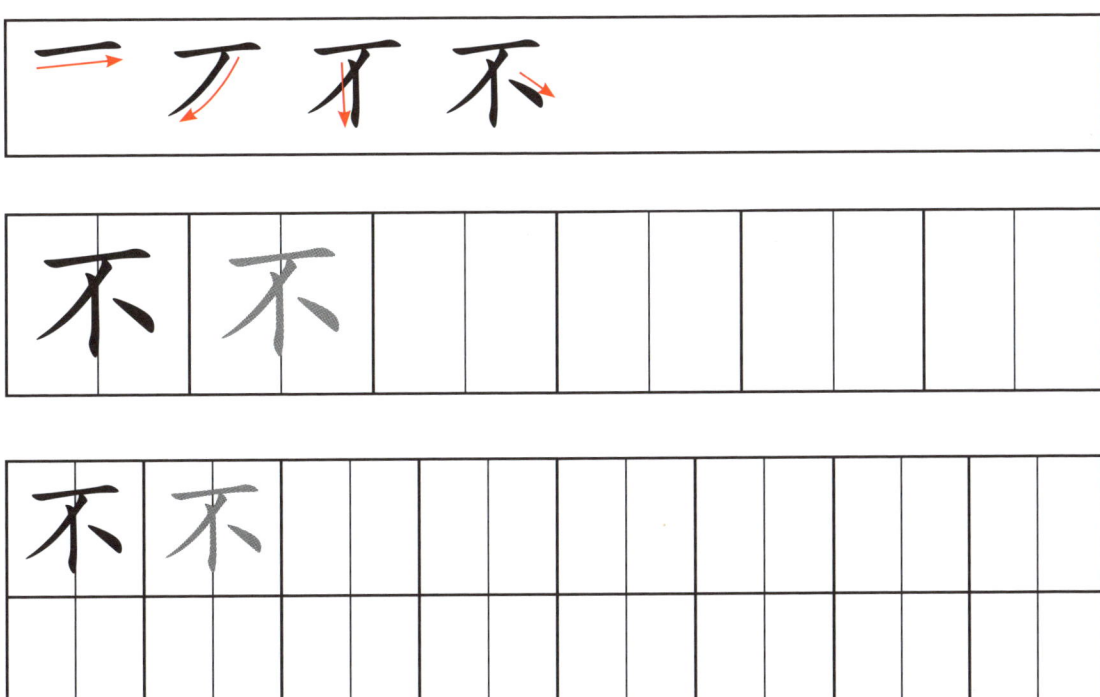

Selon le contexte, la négation est au 4ᵉ ton, **bù**, ou au 2ᵉ ton, **bú**. En pinyin, **b** se prononce entre le *b* et le *p* français. On entend donc une syllabe entre [bou] et [pou].

En cas de refus catégorique, l'intonation française de *Non !* est semblable à un 4ᵉ ton. Exercez-vous à dire : **Bù, bù, bù !** *Non, non, non !*

Le trait n°2 oblique vers la gauche. Il ne part pas tout à fait du milieu du trait n°1 et est légèrement courbe. Le trait n°3 vertical, lui, est centré. Le point final descendant équilibre l'ensemble. Attention à la forte asymétrie gauche-droite.

La négation précède toujours le verbe : 我不是中国人。 **Wǒ bú shì zhōngguórén.** *Je ne suis pas chinois(e).*

La langue chinoise ne marque pas le genre. Enfin une bonne nouvelle !

NAÎTRE, DONNER NAISSANCE

生 *naître, donner naissance*

Naître, donner naissance, **shēng**, 1er ton, haut et continu. On entend [sheung]. En pinyin, **en** ne ressemble pas du tout aux sons *en* ou *an* du français.

Le pictogramme antique montrait une plante sortie de terre, avec une tige, des ramifications ou des feuilles *(voir ci-dessus)*. Le premier trait est-il un épi, un bourgeon, une fleur ? Mystère…

On termine ce signe par la base horizontale. Le trait vertical et cette base ne se croisent pas. On redescend jusqu'au plancher des vaches, pas plus ! En traçant, vous direz « vertical, base » pour bien mémoriser l'ordre des traits, car bien des caractères s'achèvent ainsi.

Parlons anniversaire *(jour de naissance)* : 你生日是… **Nǐ shēngrì shì…** [ni sheung-jeu sheu] *Ton anniversaire est le…* 我生日是三月一日。 **– Wǒ shēngrì shì sān yuè yī rì.** [sane yüé yi jeu]. *– Mon anniversaire est le 1er mars.*

AVOIR, IL Y A

有 *avoir, il y a*

一 ナ 才 冇 有 有

Avoir, **yǒu**, est au 3ᵉ ton grave, mais il remonte imperceptiblement à la fin. En pinyin, la diphtongue **ou** se prononce comme le **o** de *or*, suivi d'un *ou* rapide et léger. On entend [yoou].

Dans le signe antique, le haut du signe représentait une main *(voir ci-dessus)*. Une main qui tient la lune ? En réalité, le signe de la *lune* 月 **yuè** remplace ici le signe 肉 **ròu** [joou] *la viande*. Un chasseur ou un éleveur du temps jadis détient des protéines pour son repas : *avoir* à manger !

Si vous avez soif, demandez : 有水吗? **Yǒu shuǐ ma ?** *Il y a de l'eau ?* 有。 – **Yǒu.** – *Oui*. Et s'il n'y a personne lorsque vous entrez dans une boutique : 有人吗? **Yǒu rén ma ?** *Il y a quelqu'un ?*

N'employez jamais la négation 不 **bù** avec ce verbe car il a sa propre négation.

NE PAS AVOIR

没 ne pas avoir

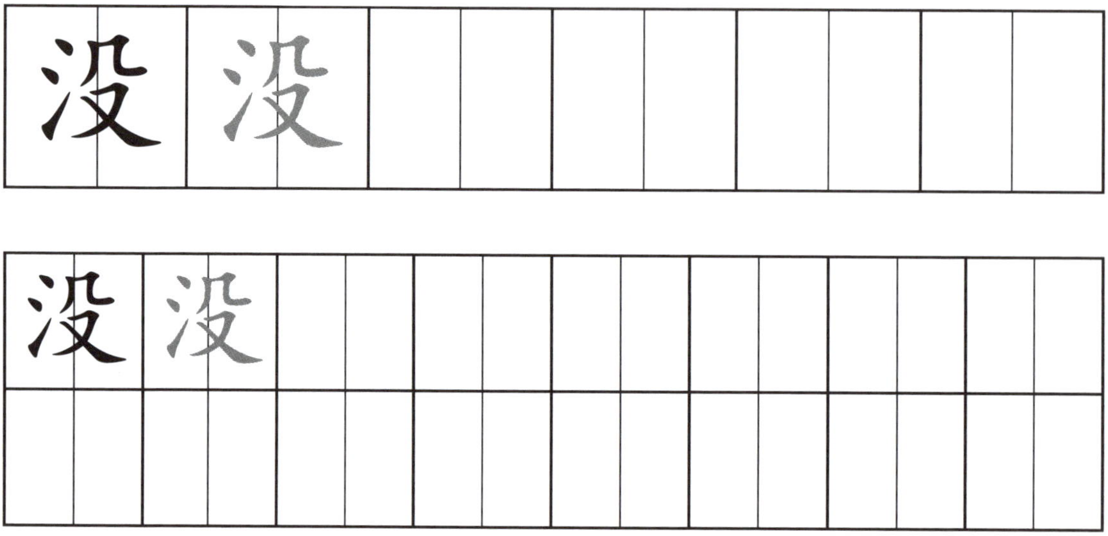

La négation du verbe *avoir* se dit **méi**, 2ᵉ ton, montant. On entend [meï].

On commence à gauche par la clé de l'eau 氵 : deux petits points descendants, puis un point remontant. Imaginez trois gouttes d'eau. À droite, le haut du signe ressemble à 几 **jǐ** en miniature. Le composant du bas est une *main droite* 又. Quelque chose a peut-être disparu dans l'eau…

Revenons à la boutique désertée. Vous avez beau appeler, personne ne répond : 有人吗 ? **Yǒu rén ma ?** *Il y a quelqu'un ?* 没有人。 **Méi yǒu rén.** *Il n'y a personne.*

Au restaurant, si vous avez besoin d'un couteau, demandez : 有没有刀 ? **Yǒu méi yǒu dāo ?** *Auriez-vous (ou pas) un couteau ?*

孩 enfant

Enfant, **hái**, 2ᵉ ton, montant. On entend [h'aï].

La clé de l'enfant 子 **zǐ** est comprimée dans le tiers gauche du carré. Son trait horizontal ne débordera pas trop à droite. On le trace en remontant en direction du geste suivant. Le composant droit est quant à lui un indice de son. Repérez le petit homme en devenir qui s'y cache en bas à droite : 人 **rén** *personne*.

Ce signe est souvent précédé de 小 **xiǎo** *petit* : 小孩 **xiǎohái** *(jeune) enfant*. Une fois que les enfants sont grands, on ajoute le suffixe 子 **zi** : 孩子 **háizi** *enfant(s)*.

你有孩子吗？ **Nǐ yǒu háizi ma ?** *Tu as des enfants ?* 没有。 **– Méi yǒu.** *– Non, je n'en ai pas.* Si vous en avez, allez à la page suivante…

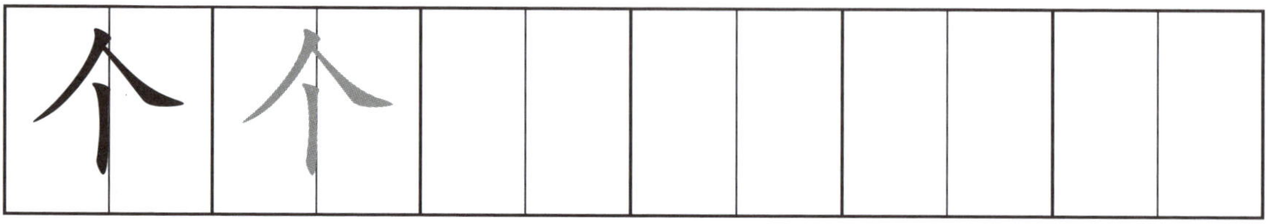

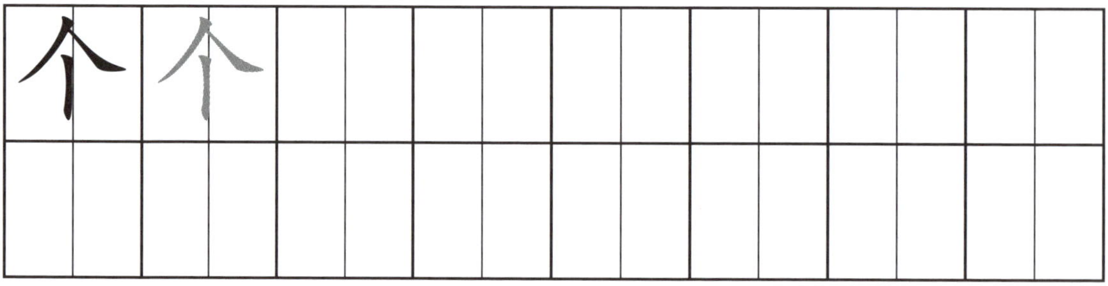

Ce signe **ge**, au ton léger, évoque l'individualité, mais il n'est guère traduisible hors contexte. En pinyin, **g** se prononce entre le *g* et le *k* français. Ici, **e** est le même que dans l'article français *le*. On entend donc [gue].

Que voit-on au juste ? Un homme haut perché sur un trait vertical.

Il s'agit d'un classificateur très important. Mais qu'est-ce qu'un classificateur ? Prenons un exemple : 一个人 **yí ge rén** *une personne*. En chinois, les noms étant des noms de masse, on a besoin d'un classificateur après le numératif pour extraire un individu ou une unité de la masse. Le français dit <u>un litre</u> *de lait*, <u>un kilo</u> *de poires*, etc. Le chinois dit **yí ge rén** *une (unité de) personne*.

Revenons aux enfants : 我有三个孩子。 **Wǒ yǒu sān ge háizi**. *J'ai trois enfants.*

BOUCHE, OUVERTURE

口 bouche, ouverture

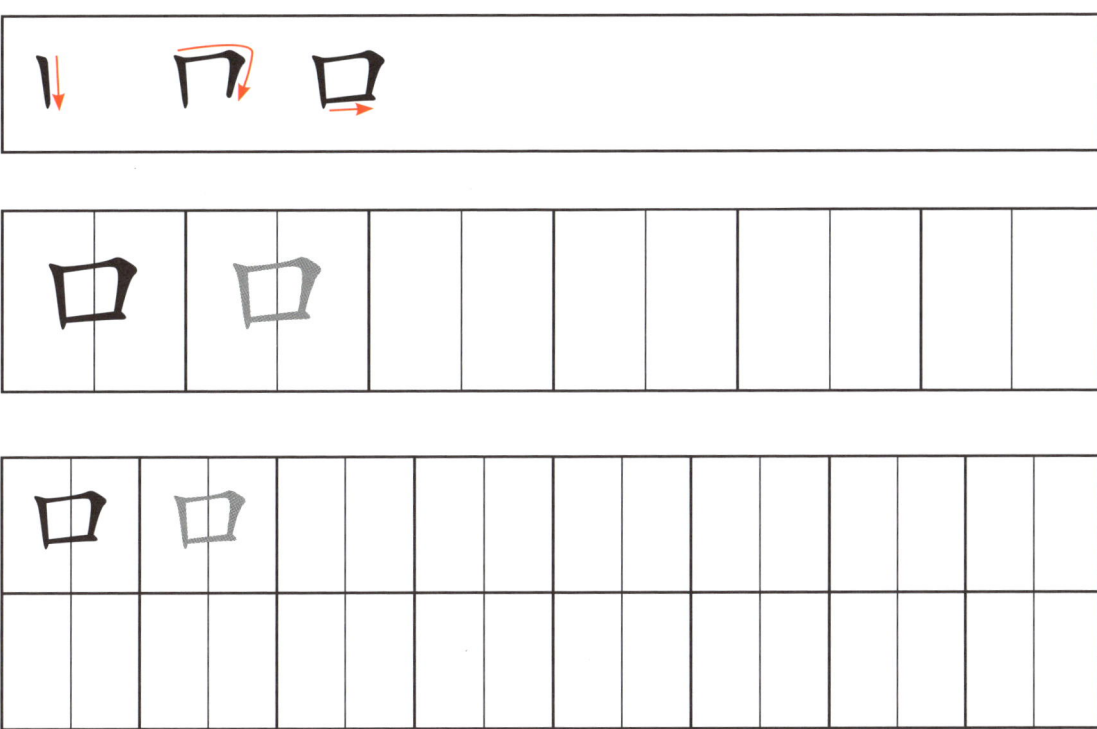

Bouche, *ouverture*, **kǒu**, 3ᵉ ton, grave. On entend [k'oou].

À ce stade, vous avez sans doute deviné seul le sens et l'ordre des traits, n'est-ce pas ?

1957 et les années qui suivirent furent horribles en République Populaire de Chine. Les choix économiques de Mao – 毛泽东 **Máo Zédōng** – désorganisèrent toute la production céréalière. S'en suivirent famine, disette et répression politique. Certains proposèrent alors de contrôler les naissances. Mao répliqua 一口两手 **yī kǒu liǎng shǒu** *(une bouche deux mains)*, signifiant ainsi sa foi en une Chine populeuse.

Le débat continue encore aujourd'hui, désormais centré sur la question de l'enfant unique. Retenez 中国人口 **Zhōngguó rénkǒu** [djong-gouo jenne-k'oou] *la population chinoise*, littéralement *les bouches à nourrir de la Chine*.

Palier 7

Trois constats et une astuce
– Certains signes peuvent servir d'indice de son.
– Un signe correspond à une syllabe qui a un ton, parfois plusieurs.
– Les particules grammaticales et les suffixes n'ont pas de ton.
– Pour mémoriser le tracé de 我 **wǒ**, on peut ajouter des pointillés entre les traits et reconstituer ainsi le parcours de la main.

Questions

1. Dans 孩子 **háizi** *enfant*, que signifie 孩 **hái** et que signifie 子 **zi** ?
→ ....

2. Pourquoi le signe 子 **zǐ** perd-il son 3ᵉ ton dans 孩子 **háizi** ?
→ ....

3. Le signe du *cheval* 马 et l'interrogatif 吗 ont-ils la même prononciation ?
→ ....

4. Où se place l'interrogatif 吗 **ma** [ma] ?
→ ....

5. Cet interrogatif a-t-il un sens par lui-même ?
→ ....

En chinois :
– les verbes 是 **shì** *être* et 有 **yǒu** *avoir* n'ont pas la même négation ;
– il existe deux formes interrogatives.

Questions

6. Que signifie 我有一个男孩，没有女孩。 **Wǒ yǒu yí ge nánhái, méi yǒu nǔhái.** ?
→ ....

7. 有水吗？ **Yǒu shuǐ ma ?** équivaut à 有没有水？ **Yǒu méi yǒu shuǐ ?** Vrai ou faux ?
→ ....

8. 是你吗？ équivaut à 是不是你？ **Shì nǐ ma ?** Vrai ou faux ?
→ ....

9. Traduisez : 你生日是几月几日？ **Nǐ shēngrì shì jǐ yuè jǐ rì ?** [sheung-jeu sheu dyi yüé dyi jeu]
→ ....

① Chacun signifie *enfant*, et réunis aussi. ② Parce qu'il est devenu un suffixe. ③ Non. *Le cheval* **mǎ** est au 3ᵉ ton ; l'interrogatif **ma** n'a pas de ton. ④ Toujours en fin de phrase. ⑤ Non, mais il a une fonction interrogative. Il correspond au français *Est-ce que...* ? ⑥ *J'ai un garçon, mais pas de fille*. ⑦ Vrai. *Est-ce qu'il y a de l'eau* ? ⑧ Vrai. *Est-ce bien toi* ? ⑨ *Quelle est la date de ton anniversaire* ?

EXACT, JUSTE

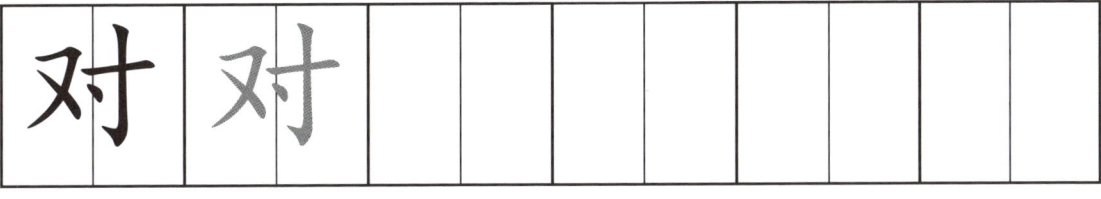

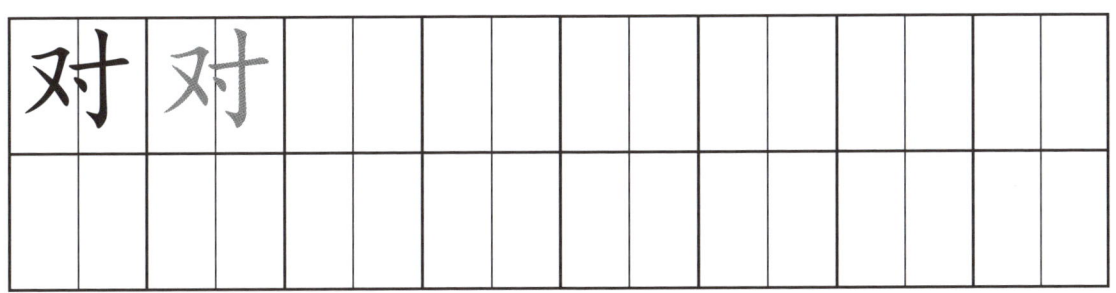

Exact, juste, **duì**, 4ᵉ ton, descendant et bref. On entend entre [doué] et [toué]. Nous avons déjà rencontré la diphtongue **ui** dans **shuǐ** *eau*, mais ici, le ton change.

La clé de ce signe simplifié est une main droite 又 très stylisée. Placer le trait horizontal du composant 寸 à la bonne hauteur vous aidera à réussir le tracé global. On ne termine pas ce signe en bas à droite, comme souvent, puisque l'on remonte pour tracer le point. Il reste juste assez d'encre dans le pinceau pour cette touche finale !

Pour demander si un signe est bien écrit, dites : 对不对？ **Duì-bu-duì ?** [doué-bou-doué] ou 对吗？ **Duì ma ?** *C'est exact ?*

On vous répondra :
➜ 对！ **Duì !** *Oui, c'est exact !*
➜ 不对。 **Bú duì.** *Non, c'est faux.*
➜ 不太对。 **Bú tài duì.** *Ce n'est pas tout à fait exact.*

PORTE

 porte

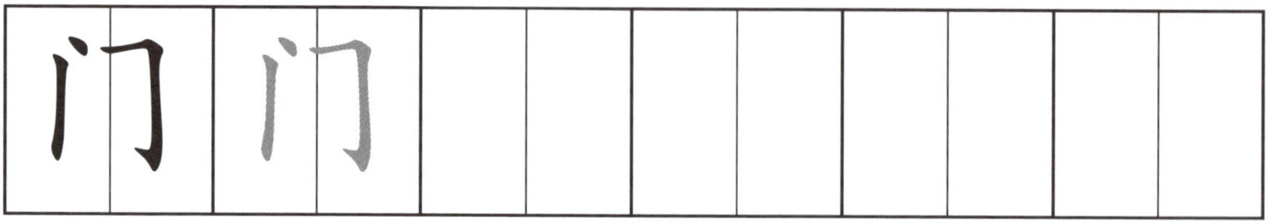

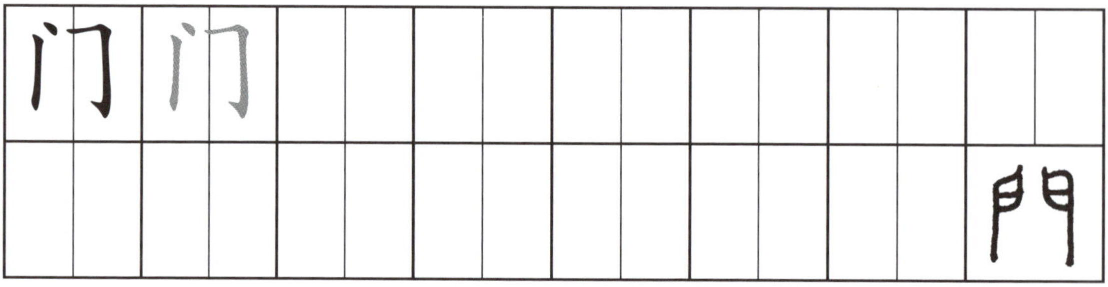

Une *porte* se dit **mén**, 2ᵉ ton, montant. On entend entre [menne] et [meune].

Le signe antique *(voir ci-dessus)* représentait deux vantaux de porte qui se voient encore dans le caractère traditionnel 門. Le signe simplifié 门 a été réduit au geste minimal. Attention à l'orientation du point initial. Le crochet final est le souvenir du geste traditionnel.

Certaines cités anciennes étaient édifiées selon un plan carré : Pékin, Xi'an, Kyoto au Japon, et d'autres. Ceintes de remparts, on y pénétrait par des portes monumentales 门 **mén**.

Le nom de la célèbre place Tian'anmen, à Pékin, s'écrit 天安门 **tiān'ānmén** [t'ienne-anemenne], ce qui signifie *Porte de la paix céleste*. Vous connaissez déjà deux des trois signes utilisés : 天 **tiān** *le ciel* et 门 **mén** *la porte*.

北 nord

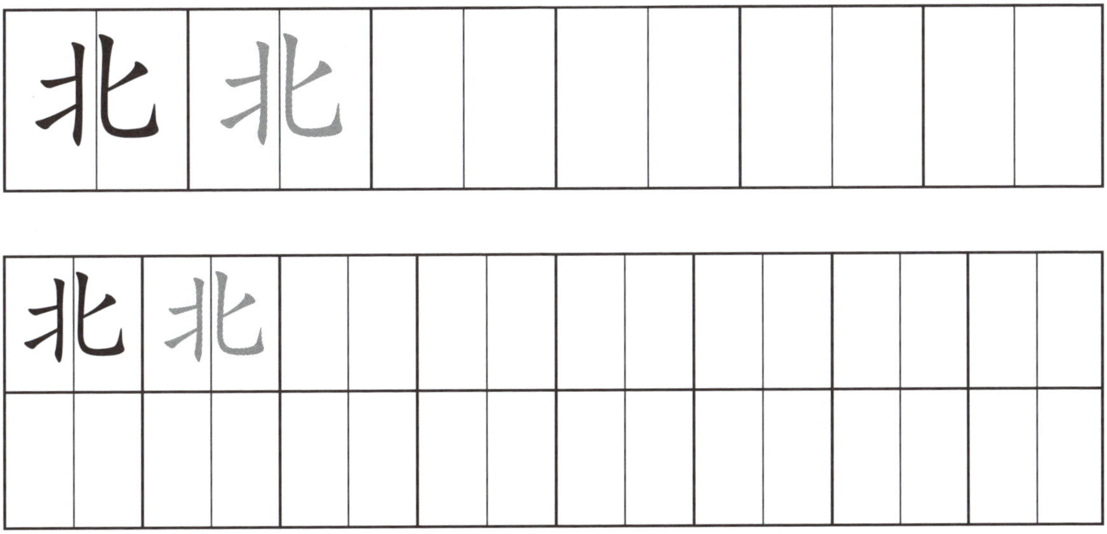

Nord, **běi**, 3ᵉ ton, grave. On entend entre [beï] et [peï]. C'est la première syllabe de **Běijīng** [beï-dying] *Pékin (capitale du Nord)*.

On trace d'abord le trait vertical de la partie gauche. Le trait horizontal n°1 (le plus petit) est à 90°, mais le trait n°3, lui, est un peu plus remontant. À droite, on aligne le trait n°4 descendant avec le trait n°3 remontant de la partie gauche : on obtient un bel axe oblique /.

La théorie des cinq agents associe les points cardinaux à des couleurs et à des éléments :

→ 北 **běi** [beï] *le nord*, est associé à la couleur noire, à l'eau, à l'hiver ;

→ 南 **nán** [nane] *le sud*, est associé à la couleur rouge, au feu ;

→ 中 **zhōng** [djong] *le centre*, est associé à la couleur jaune, à la terre.

CARRÉ, ESPACE, LIEU

方 *carré, espace, lieu*

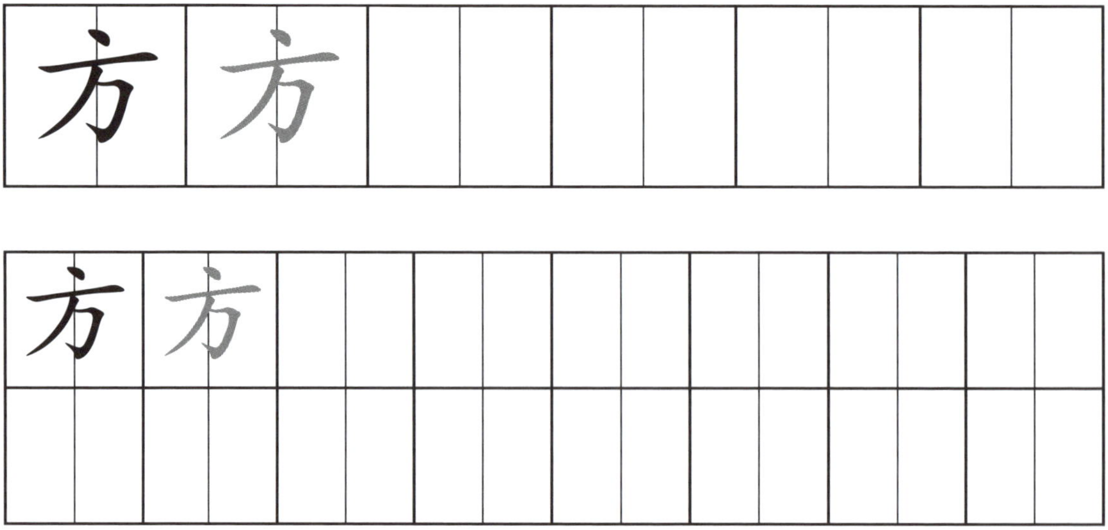

丶 一 亠 方 方

Carré, espace, lieu, **fāng**, 1er ton, haut et continu. On entend [fang]. Il importe de bien distinguer les syllabes **fan** [fane] et **fang** [fang], très différentes l'une de l'autre ! Il en va de même pour **wan/wang**, **dan/dang**, **bin/bing**, **lin/ling**, etc.

Observez bien la position du point initial, la hauteur du trait horizontal, les départs de traits pour la partie basse et les décalages. Le tout finit au même niveau, en bas à gauche.

Notez que la place du déterminant nominal est à l'inverse du français : 中国北方 **Zhōngguó běifang** [djong-gouo beï-fang] *le Nord de la Chine (Chine nord)*.

La haute taille d'un Chinois laisse supposer une origine nordique. Pour le vérifier, vous demanderez : 你是北方人吗？ **Nǐ shì běifāngrén ma ?** *Es-tu originaire du Nord ?* On vous répondra : 是。**Shì.** *Oui.* ou 不是。**Bú shì.** *Non.*

南 sud

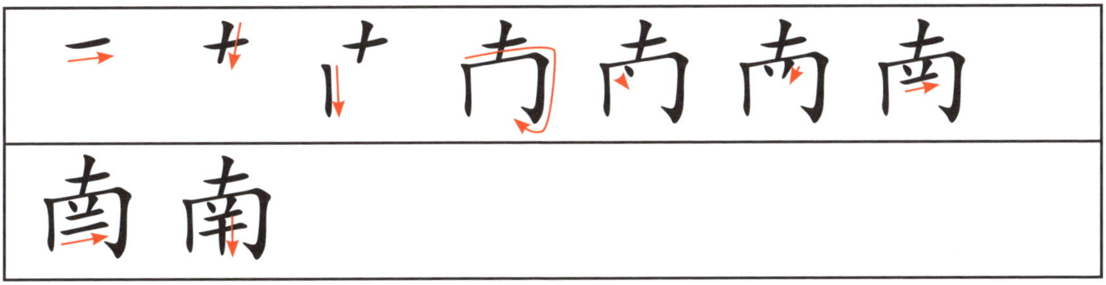

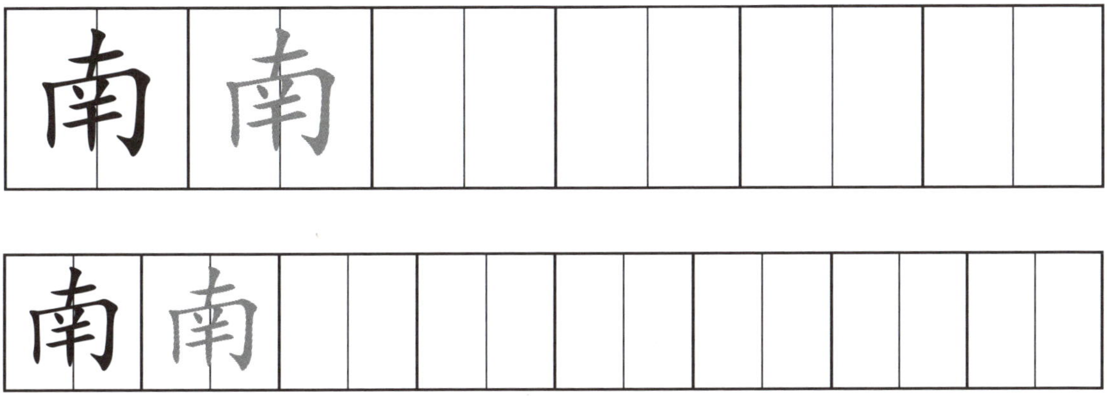

Sud, **nán**, 2ᵉ ton, montant. On entend [nane]. C'est un homophone de 男 **nán** *masculin*, mais le contexte les différencie aisément.

Face à un caractère inconnu, tout œil d'enfant chinois procède à un découpage visuel : en haut une petite croix centrale, puis une boîte non fermée, à l'intérieur deux points convergents, deux minitraits horizontaux et un trait vertical. En grandissant, l'enfant sera capable de nommer chaque composant pour « épeler » un signe.

我去北方，你去南方。 **Wǒ qù běifāng, nǐ qù nánfāng.** [wo tch'ü beï-fang, ni tch'ü nane-fang] *Je vais dans le Nord et toi dans le Sud.*

Dans un pays aux dimensions de continent, questionner sur l'origine géographique est naturel : 你是南方人吗？ **Nǐ shì nánfāng rén ma ?** *Est-ce que tu es du Sud ?*

OUEST

西 ouest

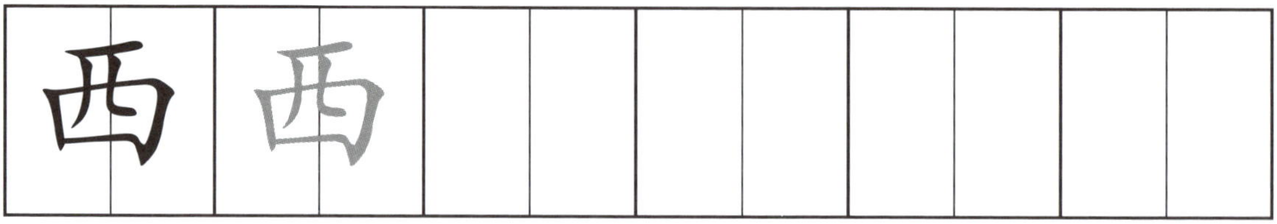

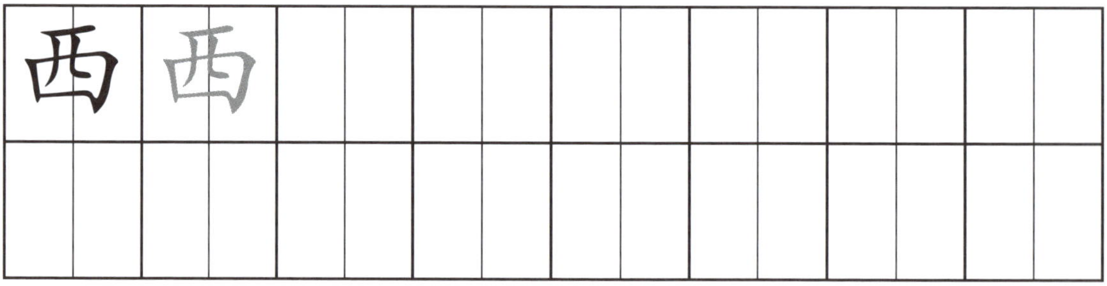

Ouest, **xī**, 1er ton, haut et continu. On entend [ssi]. Rappelons qu'en pinyin **x** se prononce entre le *ch* et le *s* français. En répétant très vite *« Les chaussettes de l'archiduchesse sont sèches ou archi-sèches ? »*, vous le trouverez forcément !

Ne fermez pas la boîte avant de tracer les deux petits traits verticaux intérieurs. Finissez en l'obturant de gauche à droite, pour rejoindre le crochet. Attention, les deux côtés de la boîte sont quelque peu inclinés.

Sachant que *l'Occident* se dit 西方 **xīfāng** [ssi-fang], *les Occidentaux* se diront 西方人 **xīfāngrén** [ssi-fang-jenne].

Mettre des majuscules en pinyin n'a aucune importance puisqu'il s'agit seulement d'une transcription, non d'une écriture. L'écriture chinoise, ce sont ses signes !

EST

东 est

Est, **dōng**, 1ᵉʳ ton, haut et continu. En pinyin, **d** se prononce entre le *d* et le *t* français.

Très évocateur, le signe antique montrait le lever du soleil 日 derrière un arbre 木 *(voir ci-dessus)*.

Il est vrai qu'en République Populaire de Chine, la simplification de l'écriture a éloigné les signes de leur étymologie archaïque. Mais le but était louable, elle visait à faciliter l'alphabétisation des campagnes.

En Chine continentale, tout étudiant écrit en signes simplifiés mais reconnaît les signes traditionnels. À l'inverse, en outre-mer, on a gardé les signes traditionnels mais on reconnaît les simplifiés. En un clic, les ordinateurs font la transformation dans les deux sens.

La tradition chinoise ajoute aux quatre points cardinaux un cinquième, le centre : 东西南北中 **dōng xī nán běi zhōng** [dong ssi nane beï djong] *est, ouest, sud, nord, centre.*

VENT

风 vent

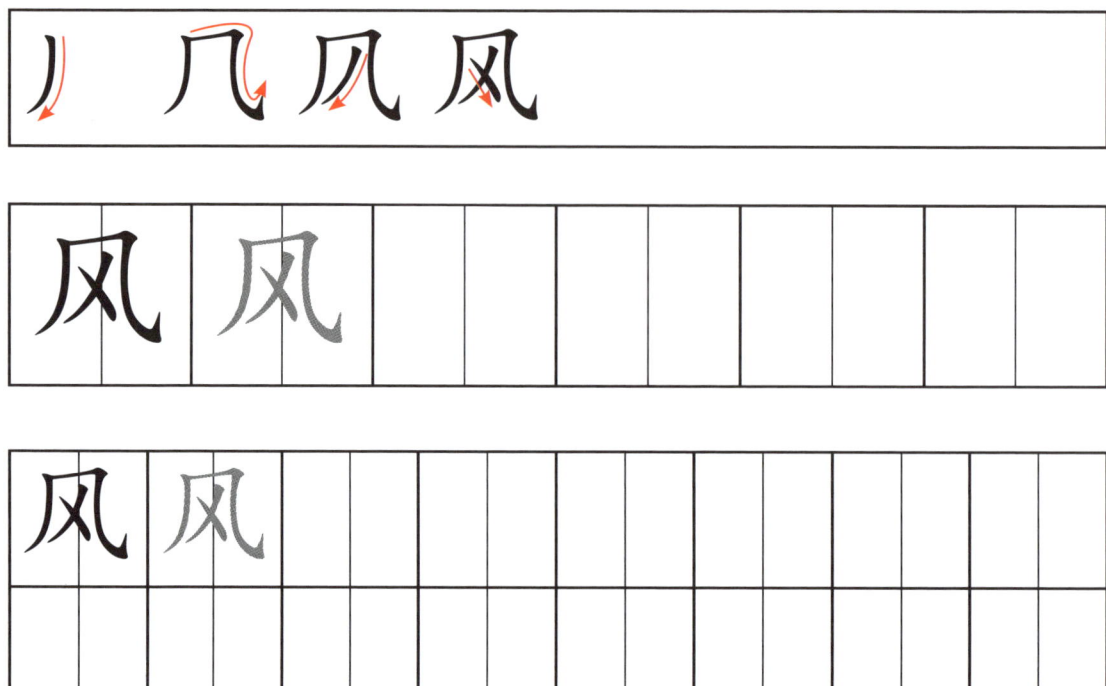

Vent, **fēng**, 1er ton, haut et continu. Le **g** final ne s'entend pas.

Tracez le contour avant l'intérieur. Le crochet du trait n° 2 descend un peu plus bas que le premier trait à gauche.

今天有风。 **Jīntiān yǒu fēng** [dyine-t'ienne yoou feng]. *Il y a du vent aujourd'hui.*

À Pékin, au printemps, souffle le *vent du nord-ouest* 西北风 **xīběifēng** [ssi-beï-feng]. Il est chargé de sable jaune, le lœss, venu de l'arrière-pays. Le long du littoral sud, en été, c'est *le vent du sud-est* 东南风 **dōngnánfēng** qui souffle.

Si vous allez à Canton ou à Hong Kong en été, demandez : 南方有台风吗？ **Nánfāng yǒu táifēng ma ?** *Y a-t-il un typhon dans le Sud ?* Selon le cas, on vous répondra 有。 **Yǒu.** *Oui* ou 没有。 **Méi yǒu.** *Non, il n'y en a pas.*

POINT, HEURE

 point, heure

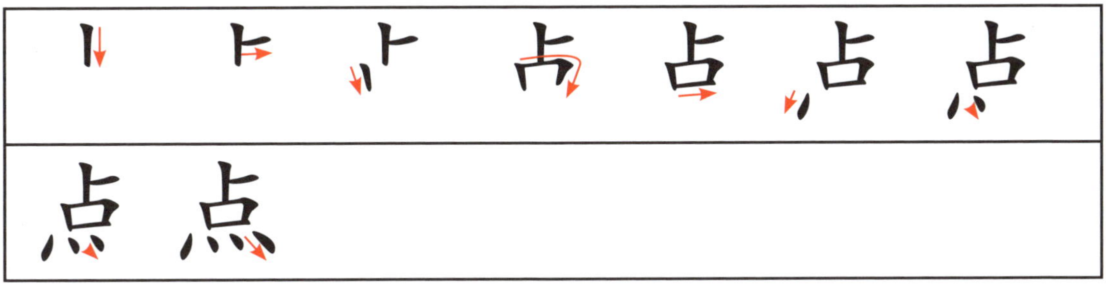

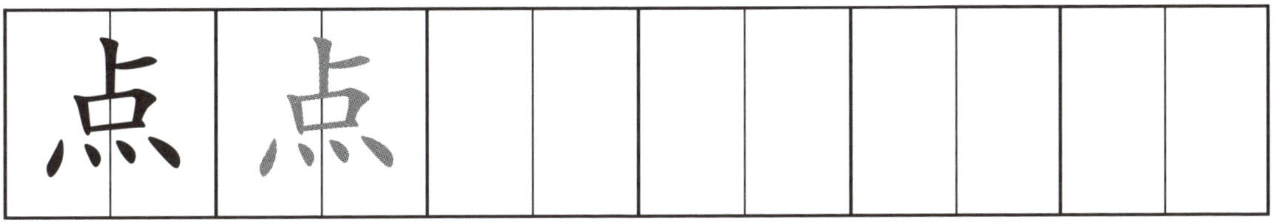

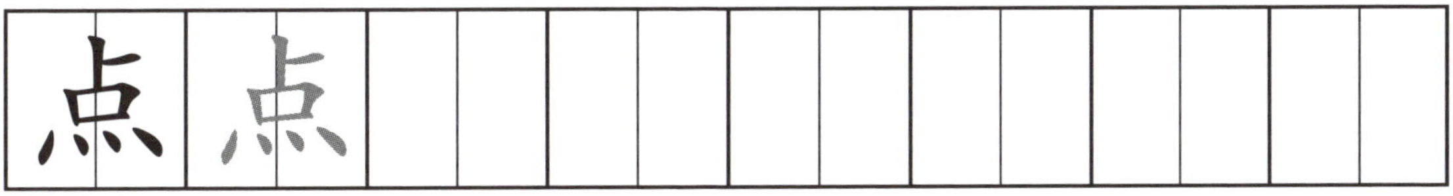

Point, heure, **diǎn**, 3ᵉ ton, grave. On entend entre [dienne] et [tienne].

Les quatre points bas 灬 sont une des clés du *feu*. Le haut 占 évoque la *divination*. Les devins antiques utilisaient des plastrons de tortue que l'on marquait de points alignés à l'aide d'un tison. Certaines brûlures étaient alors interprétées et consignées par un signe gravé sur le plastron. C'est l'une des origines de l'écriture chinoise !

Au fil du temps, le signe 点 **diǎn** a été investi de multiples sens :

➜ 点火 **diǎn huǒ** [dienne h'ouo] *allumer un feu*

➜ 一点 **yī diǎn** *un point*, *1 h 00* ou *13 h 00*

➜ 三点 **sān diǎn** *trois points*, *3 h 00* ou *15 h 00*

➜ 几点了 ? **Jǐ diǎn le ?** [dyi dienne le] *Quelle heure est-il ?*

 FEU

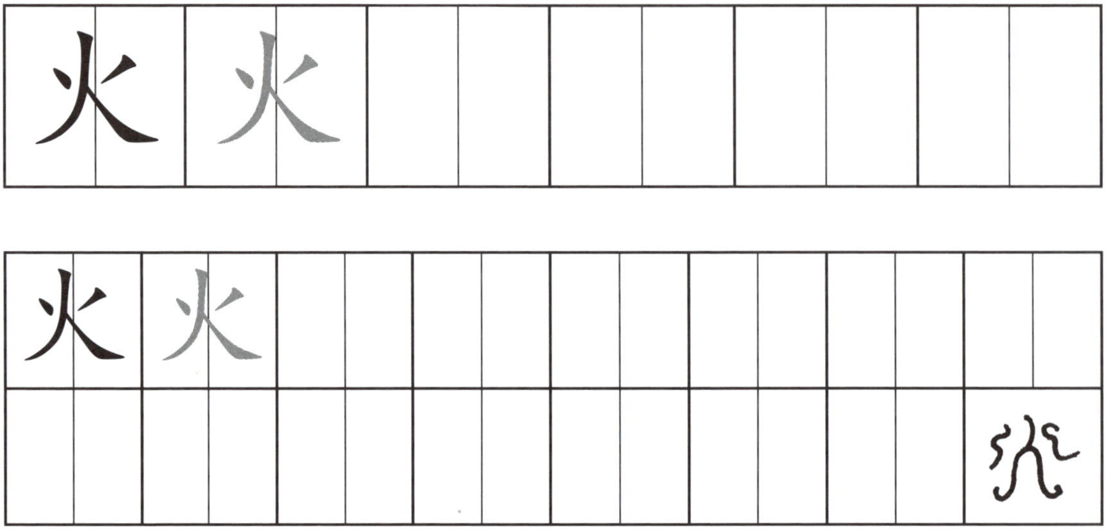

Feu, **huǒ**, 3ᵉ ton, grave. On entend [h'ouo].

On commence par les deux points convergents avec une rotation du poignet. Puis on remonte au sommet pour tracer ce qui ressemble à *l'homme* 人, sans l'être pour autant. En effet, le pictogramme antique représentait juste les flammes d'un feu *(voir ci-dessus)*.

Les cinq éléments ou agents dynamiques peuvent être présentés comme un cycle d'engendrement : 水 **shuǐ** [shoué] *l'eau* fait pousser le bois ; 木 **mù** [mou] *le bois* produit du feu ; 火 **huǒ** [h'ouo] *le feu* fournit des cendres à la terre ; 土 **tǔ** [tou] *la terre* recèle du métal ; 金 **jīn** [dyine] *le métal* peut fondre et devenir liquide. La boucle est bouclée. Ces éléments peuvent aussi être présentés comme un cycle de disparition : la terre absorbe l'eau, l'eau éteint le feu, le feu altère le métal, le métal tranche le bois, le bois puise dans la terre.

Palier 8

Deux conclusions et une variation
– Quand un signe sert de clé, sa graphie est altérée.
– En chinois, *Oui* et *Non* ne se disent pas toujours de la même façon.
– Devant un 4e ton, la négation 不 **bù** devient **bú**, au 2e ton…

Questions
1. Le signe du *cœur* 心 **xīn** [ssine] sert de clé dans le pronom…
→ ....

2. Le signe de *l'eau* 水 **shuǐ** [shoué] sert de clé 氵 dans la négation…
→ ....

3. Le signe du *feu* **huǒ** [h'ouo] sert de clé 灬 dans le signe…
→ ....

4. À la question 对不对? **Duì-bú-duì?** *Est-ce exact ?* On peut répondre…
→ ....

5. À la question 好不好? **Hǎo-bù-hǎo?** *Est-ce bien ?* On peut répondre…
→ ....

Une règle et deux équivalences
– La négation de 是 **shì** est 不 **bú** et la négation de 有 **yǒu** est 没 **méi**.
– 有没有? **Yǒu-méi-yǒu?** équivaut à 有吗? **Yǒu ma ?**
– 是不是? **Shì-bú-shì?** équivaut à 是吗? **Shì ma ?**

Questions
6. Que signifie 你有没有水?
→ ....

7. Que signifie 你是不是中国人?
→ ....

8. Quelle est la différence entre 你好! et 你好吗?
→ ....

9. Devinez le sens de 火山, 北风, 西门, 东方 et 十点.
→ ....

① 您 **nín** *vous* de politesse. ② 没 **méi** *ne pas avoir*. ③ 对 **Duì**. *Oui, c'est juste.* Ou inversement : 不对 . **Bú duì**. *Non, c'est faux.* ④ 好 **Hǎo**. *Oui, c'est bien.* Ou inversement : 不好. **Bù hǎo**. *Non, ce n'est pas bien.* ⑤ **Nǐ yǒu-méi-yǒu shuǐ ?** *As-tu de l'eau ?* ⑥ **Nǐ shì-bú-shì zhōngguórén ?** *Est-ce que tu es chinois ?* ⑦ **Nǐ hǎo ma ? Nǐ hǎo** *Bonjour ! ; Comment vas-tu ?* ⑧ **huǒshān** *volcan (montagne de feu)*, **běifēng** *vent du nord*, **xīmén** *la porte de l'ouest*, **dōngfāng** *l'orient*, **shí diǎn** 10 h 00 ou 22 h 00.

OUVRIR

Ouvrir, **kāi**, 1er ton, haut et continu. On entend [k'aï]. Il faut souffler fort après le **k** ㊣.

Le signe antique montrait deux mains ouvrant une porte *(voir ci-dessus)*. On trace d'abord le petit et le grand trait horizontal. Attention à l'asymétrie des traits verticaux à gauche et à droite.

开门 **kāi mén** *ouvrir la porte*. Si vous attendez l'ouverture d'un bureau, vous demanderez : 几点开门? **Jǐ diǎn kāi mén** [dyi dienne k'aï meune] *À quelle heure ça ouvre ?* Il est fréquent que la phrase chinoise n'ait pas besoin de sujet.

Le verbe **kāi** prend des sens imprévisibles selon le nom auquel il est associé. Ainsi 开水 **kāishuǐ** [k'aï-shoué] désigne de *l'eau bouillie*. 我今天很开心。 **Wǒ jīntiān hěn kāixīn** [wo dyine-t'ienne h'enne k'aï-ssine] *Je suis très content(e) aujourd'hui.* Donc **kāixīn** (ouvrir-cœur) n'a rien à voir avec une opération à cœur ouvert !

关 fermer

Fermer, **guān**, 1er ton, haut et continu. On entend approximativement [gouane]. En pinyin, **g** se situe entre le *g* et le *k* français. Il ne faut pas souffler du tout.

En haut, le poignet pivote pour écrire les deux points convergents. En dessous, on trace le même signe que 天 **tiān** *le ciel*, mais en plus petit.

关门 **guān mén** *fermer la porte*. Si vous arrivez un peu tard au musée, vous demanderez : 几点关门? **Jǐ diǎn guān mén ?** [dyi dienne gouane meun] *À quelle heure fermez-vous ?* Ce verbe prend des sens différents selon le contexte. Ainsi 关灯 **guān dēng** [gouane deng] veut dire *éteindre la lampe* ; 开关 **kāiguān** désigne *l'interrupteur*, pour ouvrir ou fermer l'électricité.

LIER, LIEN, ATTACHER ENSEMBLE

系 lier, lien, attacher ensemble

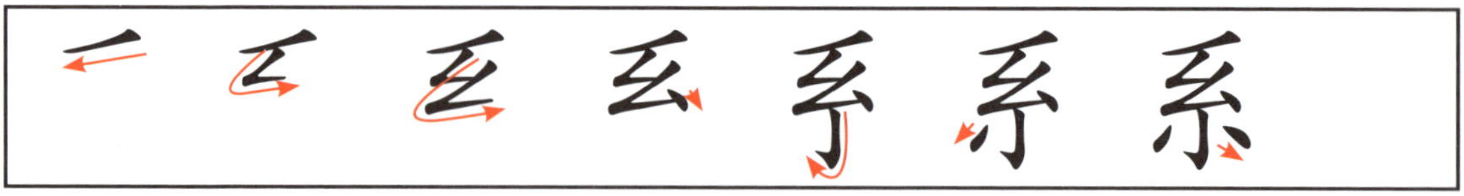

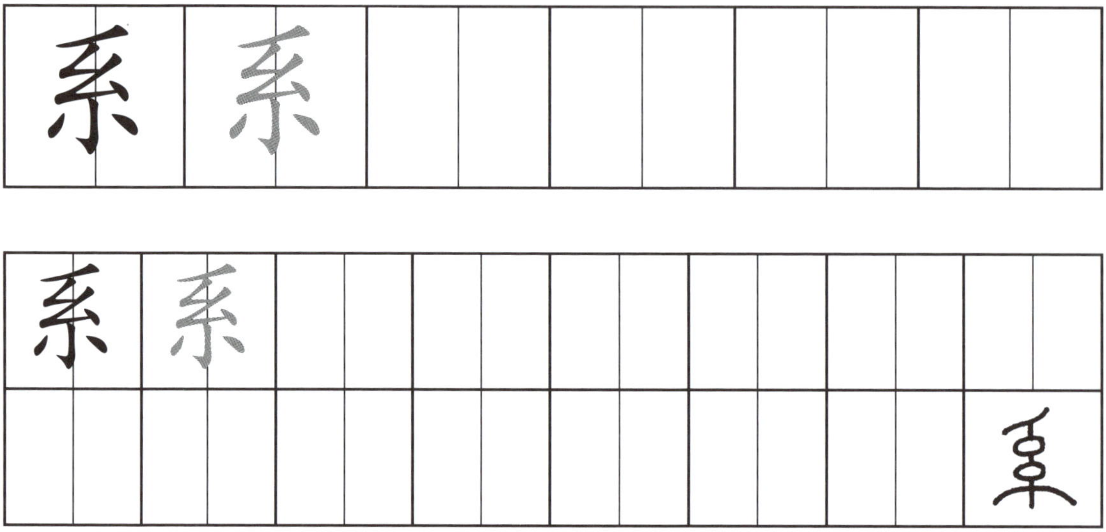

Lier, relier, attacher ensemble, **xì**, 4ᵉ ton, descendant et bref. L'initiale est chuintante : [ssi].

Le trait n° 1 n'est pas vraiment horizontal, mais oblique vers la gauche. Il est tassé tout en haut car il reste beaucoup de traits à écrire en dessous ! On voit la clé du *fil* 糸 . Observez bien les points de départ et les largeurs des traits. Tout en bas, on procède comme pour tracer 小 **xiǎo** [ssiao] *petit*, mais en miniature.

→ 关系 **guānxi** [gouane-ssi] signifie *lien, relation, rapport*. On utilise souvent l'expression **méi guānxi** pour dire que quelque chose *n'a pas d'importance*, que ce n'est pas grave.

→ 对不起。**Duì-bu-qǐ.** [doué-bou-t'chi] *Je suis désolé(e)*.

→ 没关系。**Méi guānxi.** [meï gouane-ssi] *Pas de problème, je vous en prie.*

MONTER, GRAVIR, ALLER

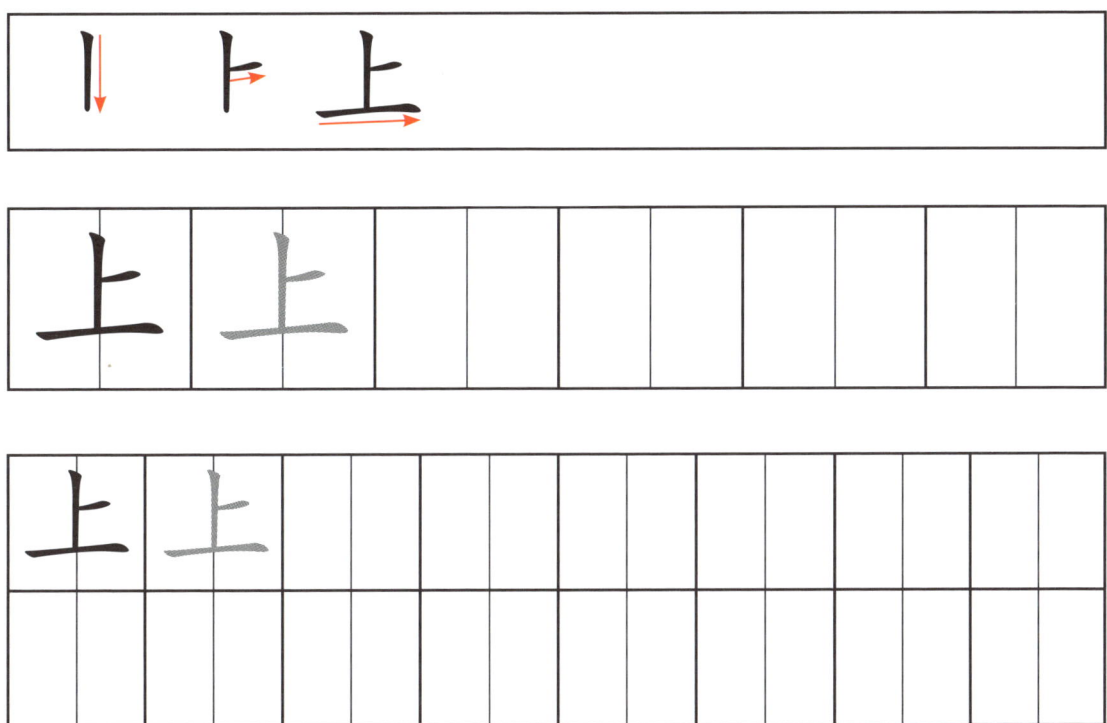

上 monter, gravir, aller

Monter, *gravir*, *aller*, **shàng**, 4ᵉ ton, descendant et bref.

Vous avez déjà tracé l'élément ├ dans le verbe 是 **shì** *être*. Ici, il est plus gros. On termine par la base horizontale, sans croiser les traits. Attention à la différence entre : 土 **tǔ** *terre*, *sol*, et 上 **shàng**, *monter*.

上山 **shàng shān** [shang shane] signifie *gravir une montagne*. Mais ce verbe est polysémique : 上路 **shàng lù** *prendre la route* ; 上学 **shàng xué** *aller à l'école*.

À l'hôtel ou au *cybercafé* 网吧 **wǎngba**, on demande : 能上网吗 ? **Néng shàng wǎng ma ?** *Je peux aller sur Internet ?*

DESCENDRE

下 descendre

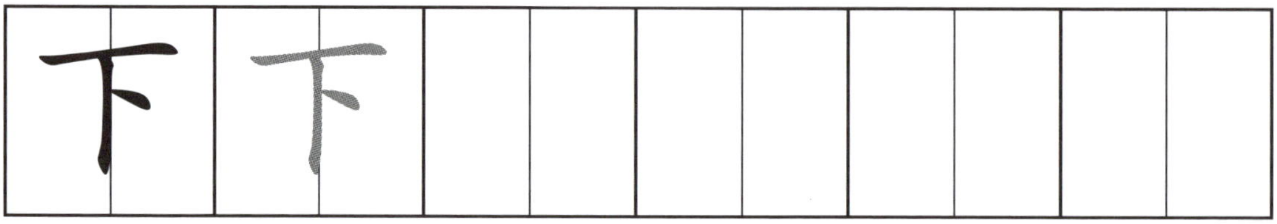

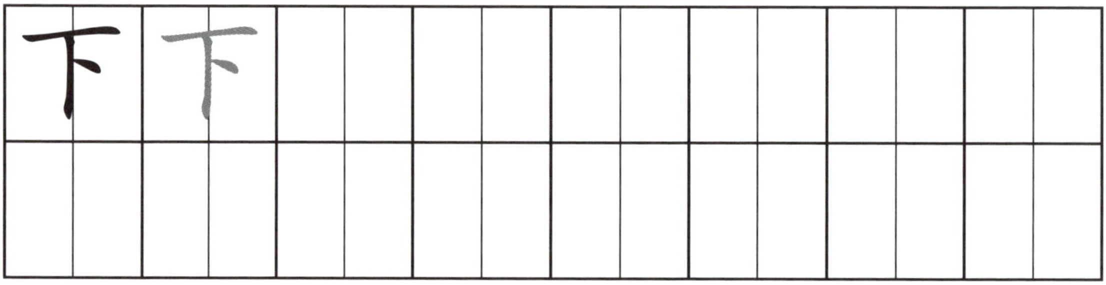

Descendre, **xià**, 4ᵉ ton, descendant et bref. On entend [ssia].

Comparez 上 **shàng** *monter* et 下 **xià** *descendre*. Dans ce dernier signe, le grand trait horizontal se trouve en haut et la perpendiculaire de ├ s'incline vers le bas ト. L'astuce pour mémoriser ces deux signes est de visualiser que le premier monte au-dessus de l'horizon et que le deuxième descend en dessous !

Haut perché dans un hôtel urbain, les rues bondées vous attirent. Vous direz alors : 我下去。 **Wǒ xià-qù** [wo ssia-tch'ü] *Je descends*.

Supposons que vous ayez gravi des centaines de marches pour accéder à la cime d'un célèbre mont. La vue est superbe, mais il se fait tard et vous songez à amorcer la descente, vous direz : 下山吧！ **Xià shān ba !** *Redescendons !*

车 véhicule, voiture

Véhicule, *voiture*, **chē**, 1er ton, haut et continu. En pinyin, **e** a plusieurs prononciations. Ici, il se dit comme dans l'article français *le*. On entend [tche].

Le signe antique évoquait la structure d'un char antique : une caisse, deux roues latérales, un essieu transversal *(voir ci-dessus)*. Mais le timon est court et le dais absent !

C'est en char que Confucius (551-479) parcourait les contrées en guerre, professant bienveillance, paix et justice. Il ne fut guère entendu des puissants d'alors, mais son message a traversé les siècles.

上车 **shàng chē** *monter en voiture* ; 下车 **xià chē** *descendre de voiture* ; 上火车 **shàng huǒchē** *monter dans le train*. 火车 **huǒchē** *le train* signifie littéralement *voiture de feu*, rappelant ainsi l'époque où les locomotives à vapeur fonctionnaient au charbon.

 **PLUIE**

雨 pluie

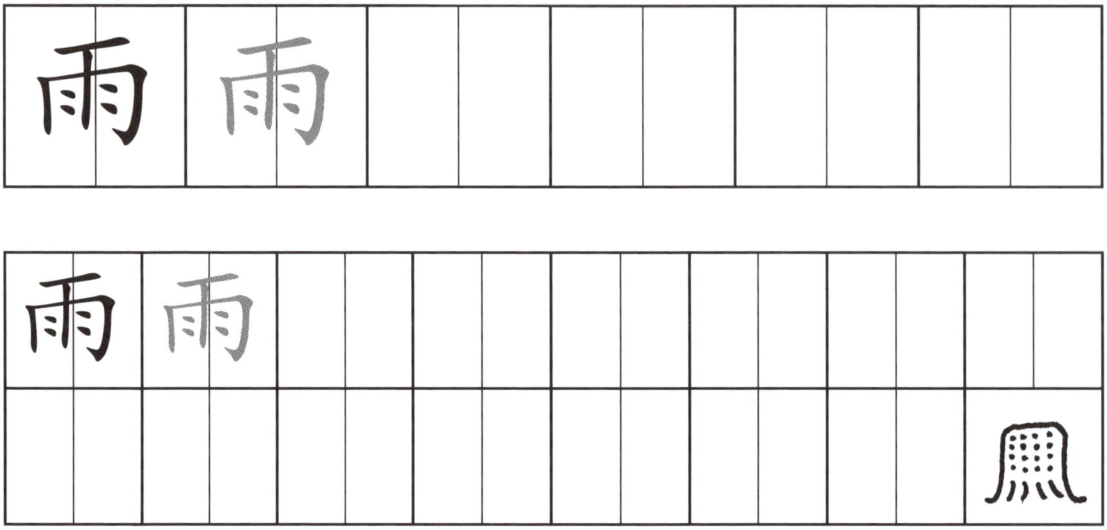

Pluie, **yǔ**, 3ᵉ ton, grave. On entend [yü] comme dans le mot français *yuka*.

Des gouttes s'échappent d'un nuage. Pour vous aider à mémoriser ce signe, figurez-le-vous ainsi : une fente dans le ciel, un nuage suspendu, deux gouttes à gauche puis autant à droite.

Un peu de météo :

➜ 下雨。 **Xià yǔ.** [ssia yü] *Il pleut.*

➜ 下雨了。 **Xià yǔ le.** *Il se met à pleuvoir.*

➜ 南方多雨。 **Nānfāng duō yǔ.** *Le Sud est pluvieux.*

Dans un tout autre registre, 云雨 **yúnyǔ** *(nuage-pluie)* est une métaphore des *jeux amoureux*…

雪 neige

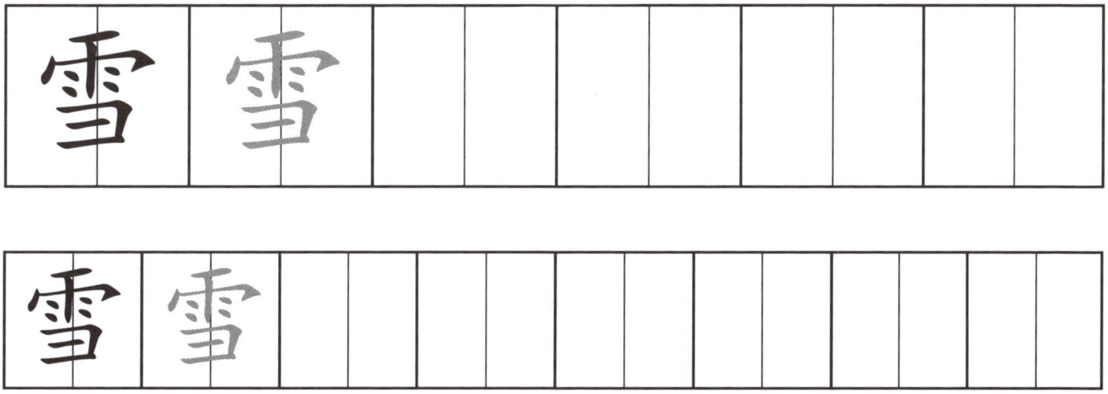

Neige, **xuě**, 3ᵉ ton, grave. On entend [ssüé] comme le verbe français *suer*, mais en plus chuintant.

Le signe de la *pluie* 雨 **yǔ** sert ici de clé. Mais son tracé est altéré : le contour du nuage est aplati et le trait n°3 s'écrit avec un crochet ⼀ simple, sans angle droit. C'est un trait fondamental fréquent. Au sol, les couches de neige s'amoncellent.

Encore un peu de météo et de métaphore :

下雪了。 **Xià xuě le.** [ssia ssüé le] *Il commence à neiger.* Dans le calendrier solaire chinois, la période du 22 novembre au 6 décembre s'appelle 小雪 **xiǎo xuě** *Petite neige* et la période du 7 au 21 décembre 大雪 **dàxuě** *Grande neige*. Quant à 风花雪月 **fēng huā xuě yuè** [feng h'oua ssüé, yüé] *(vent fleur neige lune)*, il s'agit d'une *vie amoureuse mouvementée*.

**FROID**

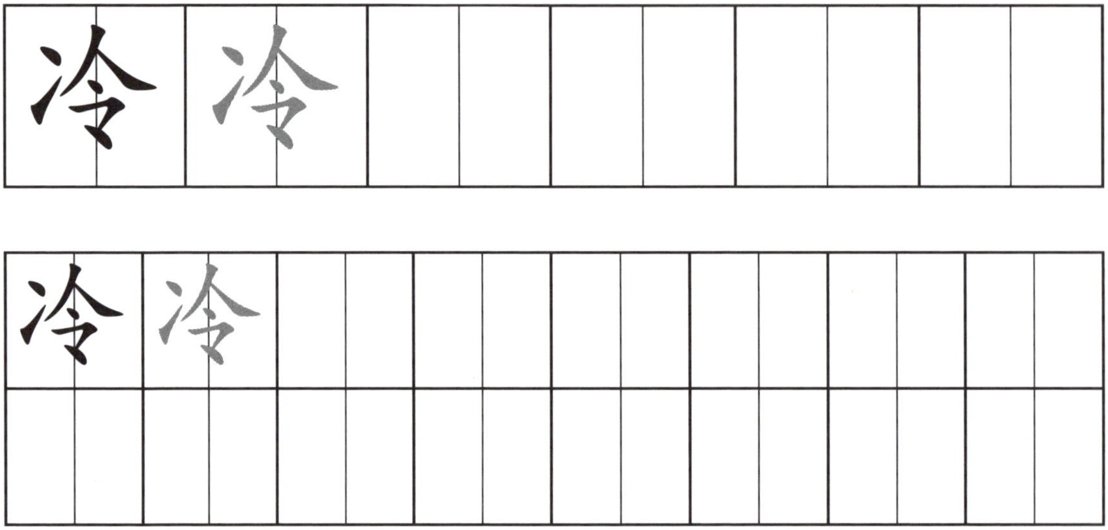

Froid, **lěng**, 3e ton, grave. On entend approximativement [leung].

La clé de la *glace* s'écrit avec deux points latéraux 冫, à ne pas confondre avec les trois points de la clé de *l'eau* 氵. Les deux points convergent vers la suite du tracé.

Cet adjectif, facile d'emploi, signifie *faire froid, être froid, avoir froid* :

→ 今天冷。**Jīntiān lěng.** [dyine-t'ienne leung] *Il fait froid aujourd'hui.*

→ 今天有点冷。**Jīntiān yǒudiǎn lěng.** *Il fait un peu froid aujourd'hui.*

→ 天冷了。**Tiān lěng le.** *Le temps s'est refroidi.*

→ 你冷吗？**Nǐ lěng ma ?** *Tu as froid ?*

→ 我不冷，你呢？**Wǒ bù lěng, nǐ ne ?** *Non, je n'ai pas froid, et toi ?*

明 clair, clarté

Clair, clarté, **míng**, 2ᵉ ton, montant. On entend [ming].

Ce signe a pour clé le *soleil* 日. Quand on écrit à la main, la *lune* 月 paraît plus grosse que le soleil. Les petits traits intérieurs se tracent de gauche à droite. On peut les raccourcir pour donner plus de légèreté au signe.

L'idée de lumière est évoquée par les deux astres réunis à l'aube. En associant 明 **míng** *clair* et 天 **tiān** [t'ienne] *ciel, jour*, on obtient deux mots : 天明 **tiānmíng** *l'aube* ; 明天 **míngtiān** *demain (quand le ciel sera clair)*.

Une question à poser éventuellement à votre guide de voyage : 明天几点去天安门？ **Míngtiān jǐ diǎn qù Tiān'ānmén ?** [ming-t'ienne dyi diennet'chü t'ienne-ane-men] *À quelle heure va-t-on à Tian'anmen demain ?*

 BLANC

白 blanc

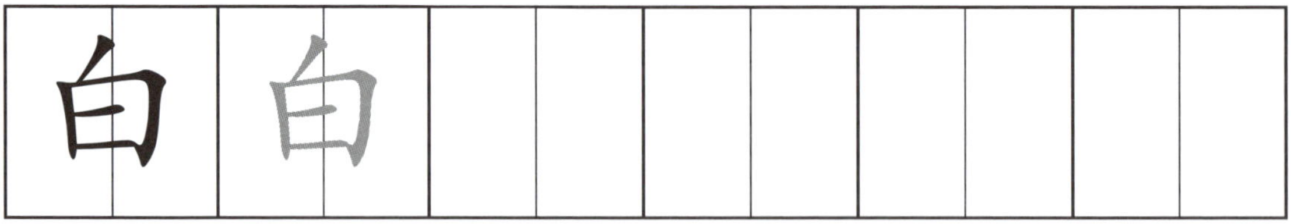

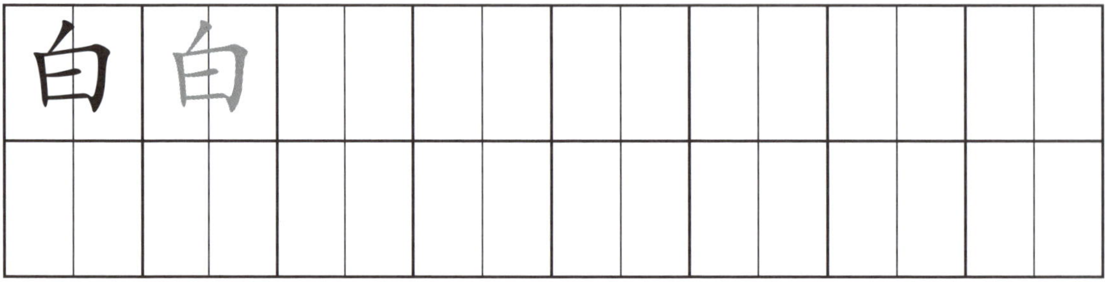

Blanc, **bái**, 2ᵉ ton, montant, se prononce entre les mots français *baille* et *paille*.

Le point oblique descend en direction du trait suivant. Le signe du bas, 曰, n'a pas les mêmes proportions que le *soleil* 日, mais il se trace dans le même ordre.

Autrefois, on pensait que le *jade blanc* 白玉 **bái yù** était le plus beau, le plus pur. Aujourd'hui, la plus belle collection de jades se trouve au musée de Shanghai 上海.

Si vous ne comprenez rien aux paroles et aux gestes que l'on vous adresse, il ne vous reste plus qu'à avouer : 我不明白。 **Wǒ bù míngbai.** [wo bou ming-baï] *Je ne comprends pas.* (littéralement, *pour moi pas clair-blanc*).

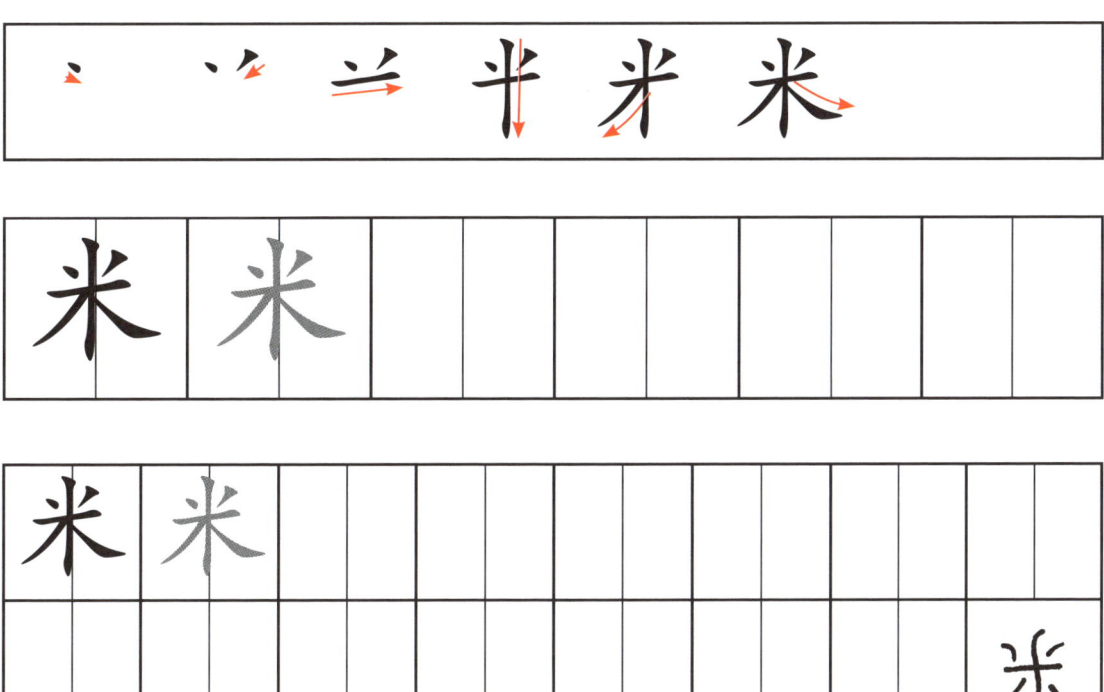

Riz cru, **mǐ**, 3ᵉ ton, grave.

Le signe antique montrait un épi chargé d'épillets *(voir ci-dessus)*. On commence par les deux grains du haut, puis on trace le *bois* 木 **mù**.

Pour le riz, on dit en fait 大米 **dàmǐ**, par opposition à 小米 **xiǎomǐ** *le millet*, qui fut la première céréale cultivée en Chine au Néolithique. 生米 **shēngmǐ** désigne le *riz paddy*, non décortiqué, et 白米 **báimǐ** le *riz blanc*, sans péricarpe ni germe.

Les signes chinois perdent leur sens quand on les utilise pour transcrire un mot étranger de façon phonétique. Par exemple, à partir de l'anglais **one meter**, *un mètre*, 一米 **yī mǐ**. Ou encore **Mickey Mouse**, *Mickey*, 米老鼠 **Mǐ lǎoshǔ** [mi lao-shou], littéralement *vieux raton Mi* ! Et comme les souris raffolent du riz, le caractère est bien choisi !

RIZ CUIT, REPAS

饭 riz cuit, repas

Le riz (cuit), repas, **fàn**, 4ᵉ ton, descendant et bref. On entend [fane].

Le signe de la *nourriture* 食 est ici simplifié et rétréci en trois traits 饣. On commence donc par cette clé de la *nourriture* à gauche qui comporte un nouveau trait fondamental : trait vertical avec crochet remontant vers la droite. Le composant droit est un indice de son.

白饭 **báifàn** [baï-fane] désigne le *riz blanc cuit*. Au restaurant, pour demander un accompagnement aux plats que vous avez choisis, vous direz : 我来一碗白饭。 **Wǒ lái yī wǎn báifàn.** *Je prendrai un bol de riz blanc.*

Mais 饭 **fàn** prend aussi le sens de *repas*. Supposons que vous ayez l'estomac dans les talons, vous demanderez à la réception de votre hôtel : *À quelle heure est servi le repas ?* 几点开饭? **Jǐ diǎn kāi fàn ?** [dji dienne k'aï fane].

吃 manger

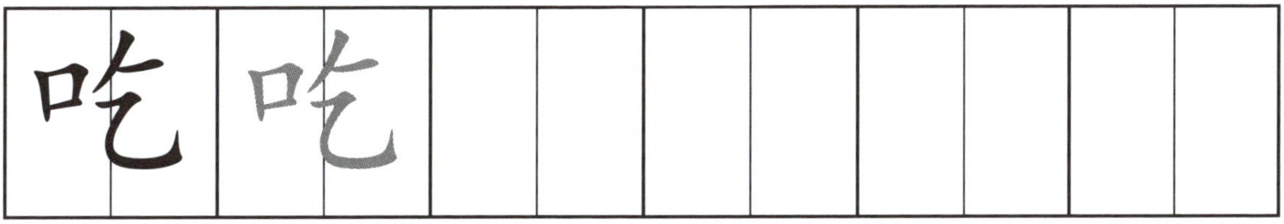

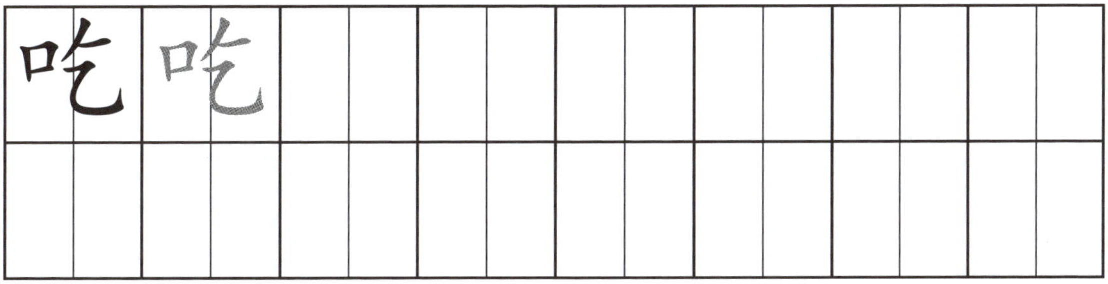

Manger, **chī**, 1er ton, haut et continu. On entend [tcheu], avec une vocalique très intérieure. Bizarrement, il faut pincer les lèvres pour manger !

Ici, le signe de la *bouche* 口 **kǒu** a rapetissé pour servir de clé. En haut à droite, deux baguettes qui ne vont pas dans le même sens. En dessous, un joli trait pas très facile à réussir du premier jet. Le secret ? Observez le centre de gravité de ce caractère : le coin des lèvres, l'angle des baguettes et le départ du joli geste…

Passons à table :

➜ 开饭了。 **Kāi fàn le.** [k'aï fane le] *Le repas est servi.*

➜ 吃饭吧！ **Chī fàn ba !** [tcheu fane ba] *Mangeons !*

➜ 慢慢吃！ **Màn-man chī !** *Bon appétit !* Littéralement, *lentement-lentement manger.*

Palier 9

Trois difficultés
– L'ordre des mots diffère entre le chinois et les langues indo-européennes.
– En pinyin, **i** et **u** ont plusieurs prononciations.
– Un caractère chinois peut servir à transcrire un mot étranger.

Questions
1. Traduisez : *Est-ce qu'il fait froid aujourd'hui ?*
→ ....

2. Traduisez : *As-tu froid ?*
→ ....

3. Comment se prononce le **i** dans 是 **shì**, 吃 **chī** ; 你 **nǐ**, 米 **mǐ** ; 水 **shuǐ** et 对 **duì** ?
→ ....

4. Comment se prononce le **u** dans 不 **bù**, 土 **tǔ**, 画 **huà** ; 雨 **yǔ**, 雪 **xuě** et 月 **yuè** ?
→ ....

5. Qui est 奥巴马 **Àobāmǎ** ?
→ ....

Trois raisons de garder espoir
– Il n'existe que 8 traits fondamentaux… avec quelques variantes.
– Quand on connaît chaque signe d'un mot, on en devine parfois le sens.
– Inscrire chaque signe dans un carré bien délimité aide la lecture.

Que comprenez-vous ?
6. Que signifient 开车, 白马 et 雪人 ?
→ ....

7. Distinguez-vous 大/天, 大/太, 力/刀, 下/不, 车/东 et 田/画 ?
→ ....

8. Si l'on écarte trop les composants de 明 **míng** *clair*, on risque de déchiffrer…
→ ....

9. Dans l'antiquité, on croyait que le ciel était rond et la terre carrée 天圆地方 **tiān yuán dì fāng** [t'ienne yüane di fang]. Quels caractères reconnaissez-vous ?
→ ....

① 今天冷吗? **Jīntiān lěng ma ?** ② 你冷吗? **Nǐ lěng ma ?** ou 你冷不冷? **Nǐ lěng-bu-lěng ?** ③ [sheu], [tcheu] ; [ni], [mi] ; [shoue] et [doue]. ④ [bou], [t'ou], [h'oua] ; [yu] ; [ssüé] et [yüé]. ⑤ Barack Obama. Le caractère du cheval est ici utilisé phonétiquement. ⑥ **kāi chē** *conduire un véhicule*, **bái mǎ** *cheval blanc*, **xuěrén** *bonhomme de neige*. ⑦ **dà/tiān** *grand/ciel* ; **dà/tài** *grand/trop* ; **lì/dāo** *force/couteau* ; **xià/bù** *descendre/ne pas*, **chē/dōng** *véhicule/est* ; **tián/huà** *champ/peinture*. ⑧ 日月 **rì yuè** *soleil et lune* ⑨ Vous connaissez 天 **tiān** *ciel* et 方 **fāng** *carré*.

TÔT, DE BON MATIN

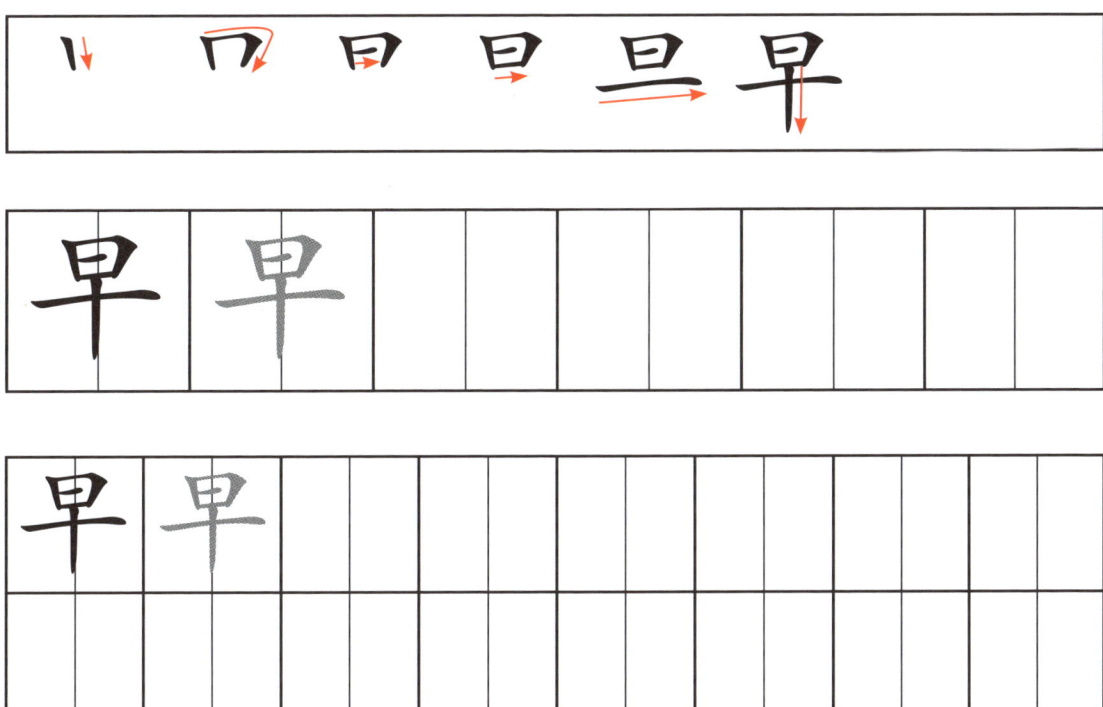

早 tôt, de bon matin

Tôt, de bon matin, **zăo**, 3ᵉ ton, grave. On entend [dzao]. Dans la diphtongue **ao** du pinyin, **a** s'entend beaucoup plus que **o**.

Que voit-on ? Un soleil au-dessus de l'horizon. Le trait vertical évoque le premier rayon du jour, vous ne trouvez pas ?

早上 **zăoshang** *tôt le matin, de bonne heure* ; 明天早上八点 **míngtiān zăoshang bā dián** [ming-t'ienne dzao-shang ba dienne] *demain matin à huit heures*.

Pour dire bonjour à une heure matinale, vous direz : 早安。 **Zăo'ān.** *(paix du matin)*, 早上好。 **Zăoshang hăo.** ou tout simplement 早。 **Zăo.**

En Chine, on prend soit un petit déjeuner copieux, disons plutôt un *repas matinal* 早饭 **zăofàn** [dzao-fane], soit un *petit déjeuner léger* 早点 **zăodiăn** [dzao-dienne].

TARD, SOIR

晚 tard, soir

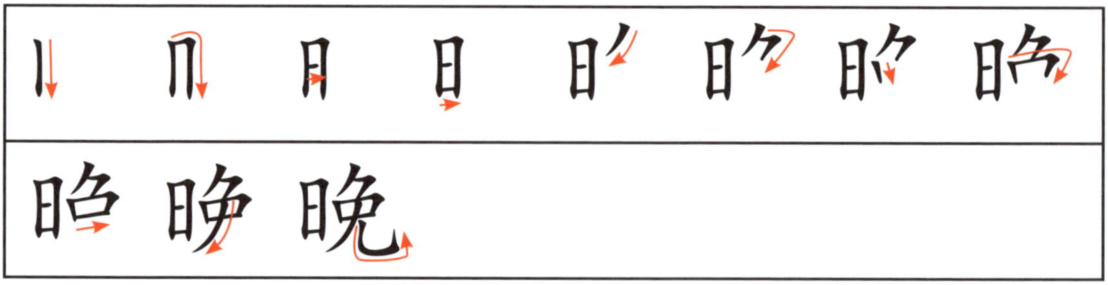

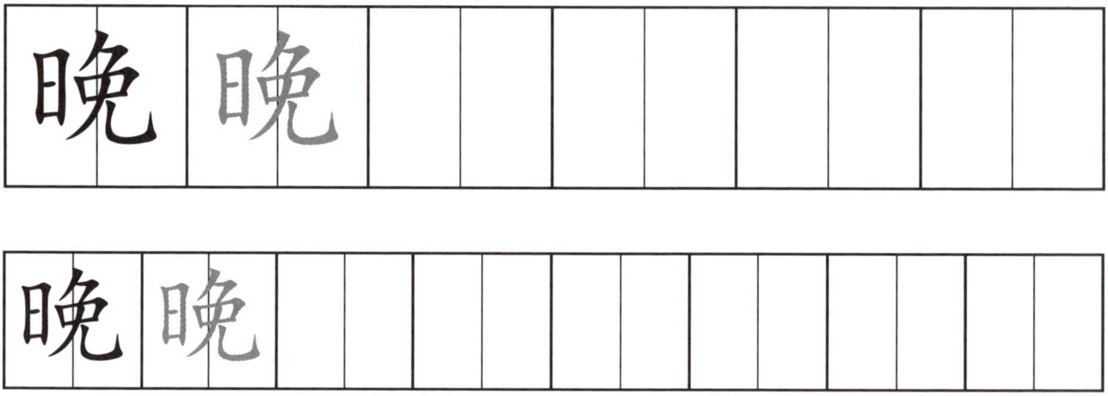

Tard, soir, **wǎn**, 3ᵉ ton, grave. On entend [wane] ou [ouane].

Ce signe a pour clé le *soleil* 日, serré sur la gauche. Les deux derniers traits sont 儿 et non 人, ne le confondez pas.

晚上 **wǎnshang** *le soir* ; 今天晚上八点 **jīntiān wǎnshang bā diǎn** [dyine-t'ienne wane-shang ba dienne] *ce soir à huit heures*. Pour dire *bonsoir*, vous emploierez : 晚安. **Wǎn'ān** *(paix du soir)*. Le *dîner* se dit 晚饭 **wǎnfàn** [wane-fane].

Un dicton : 好饭不怕晚。 **Hǎo fàn bú pà wǎn** [h'ao fane bou p'a wane] *Un bon repas ne craint pas d'être en retard*. « Tout vient à point à qui sait attendre », disait Rabelais.

7ᵉ BRANCHE TERRESTRE

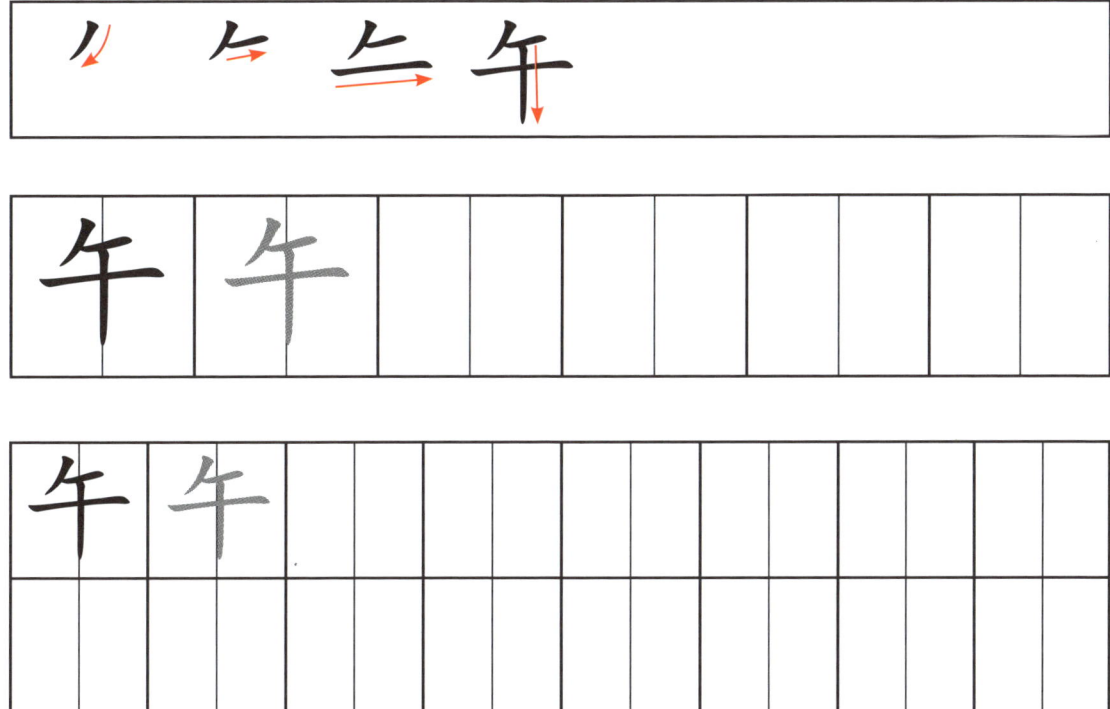

7ᵉ branche terrestre, **wǔ**, 3ᵉ ton. On entend [wou].

Les devins et scribes de la Chine ancienne notaient tous les événements célestes. Les cycles observés générèrent un riche vocabulaire de mesure du temps. 午 **wǔ** est l'un des repères temporels cycliques. Il désignait, entre autres, la période 11 h-13 h.

Rappelons le sens de 上 **shàng** *monter*, 中 **zhōng** *milieu*, 下 **xià** *descendre*, puis suivons la course du soleil. Tandis qu'il monte, on dit 上午 **shàngwǔ**, *le matin, dans la matinée*. Quand il atteint son zénith, on dit 中午 **zhōngwǔ** *midi, milieu de journée*. Et quand il redescend, on dit 下午 **xiàwǔ** *l'après-midi*.

Il existe donc deux mots pour traduire *matin* : celui des lève-tôt 早上 **zǎoshang** et celui des lève-tard 上午 **shàngwǔ**. Leur point commun ? Le signe 上 **shàng**.

MOTIF, SIGNE ÉCRIT

文 motif, signe écrit

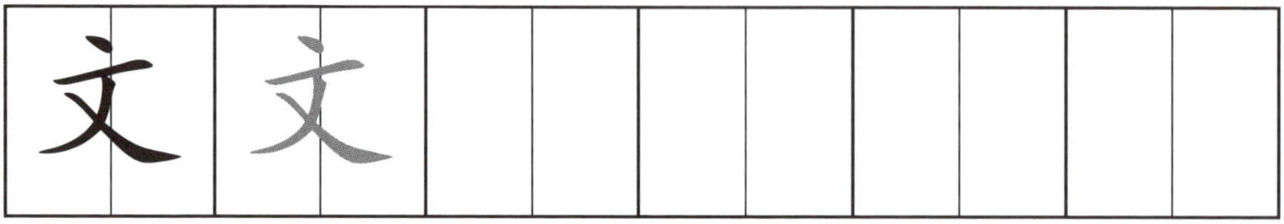

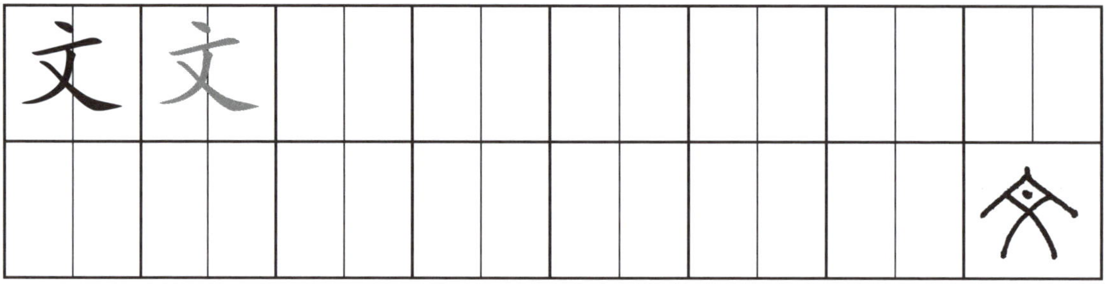

Motif, signe écrit, **wén**, 2ᵉ ton, montant. On entend entre [wenne] et [weune].

Le caractère antique représenterait un motif sur un torse humain *(voir ci-dessus)*. Un tatouage ? Peut-être.

Le premier point descend vers la droite. Le trait horizontal est moins large que l'écartement de la base. Le trait oblique gauche part du centre. Observez le point de départ du trait oblique droit et sa fausse courbure. Écrits à la main, ces deux traits obliques croisés ne sont pas symétriques.

Ce caractère s'utilise pour désigner les langues du monde :

➜ 中国 **Zhōngguó** [djong-gouo] *la Chine* ; 中文 **zhōngwén** *le chinois*

➜ 日本 **Rìběn** [jeu-benne] *le Japon* ; 日文 **rìwén** *le japonais*

➜ 法国 **Fǎguó** [fa-gouo] *la France* ; 法文 **fǎwén** *le français*

APPRENDRE, ÉTUDIER

学 apprendre, étudier

Apprendre, étudier, **xué**, 2ᵉ ton, montant. On entend [ssüé].

Dans le signe antique, on voit deux mains et deux croix surmontant un enfant sous un abri *(voir ci-dessus)*. Quelqu'un montrait-il des signes à un bambin tout aplati ? Mystère… Quoi qu'il en soit, dans le signe actuel ne subsiste de ces mains que trois points en haut : deux parallèles et un convergent. Mais on reconnaît un *toit* 宀 abritant un *enfant* 子. L'enfant a gagné en taille, ses bras semblent toucher les murs de part et d'autre…

我是学生。**Wǒ shì xuéshēng** [wo sheu ssüé-sheung]. *Je suis étudiant(e)*. 你学中文吗？**Nǐ xué zhōngwén ma ?** *Tu apprends le chinois ?* 学。**Xué.** *Oui.*

La plupart des verbes chinois peuvent servir de noms. Par exemple : 文学 **wénxué** *littérature, étude des lettres* ; 小学 **xiǎoxué** [ssiao-ssüé] *école primaire* ; 中学 **zhōngxué** [djong-ssüé] *école secondaire* ; 大学 **dàxué** [da-ssüé] *université*.

CARACTÈRE CHINOIS

字 *caractère chinois*

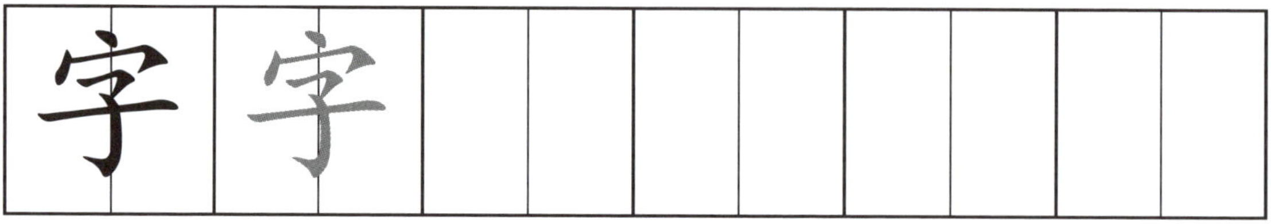

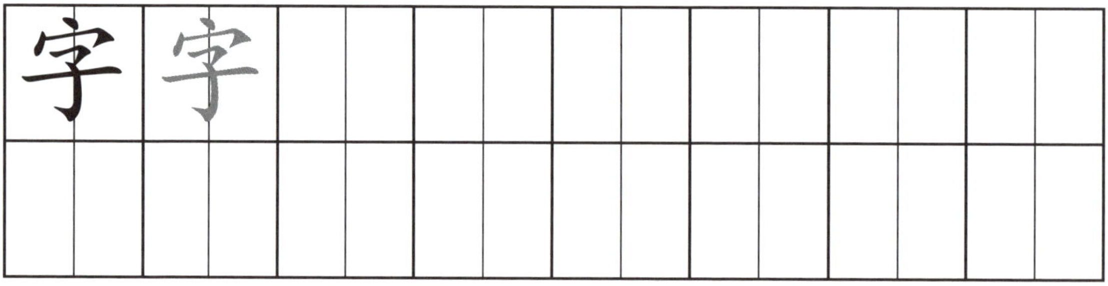

Caractère chinois, **zì**, 4ᵉ ton, descendant et bref. On entend [dzeu].

Ce signe a deux points de moins que 学 **xué** *apprendre*. Son dernier trait horizontal peut être plus large que la clé du *toit* 宀 situé au sommet.

Au quotidien, on désigne l'écriture chinoise par 中国字 **zhōngguó zì** [djong-gouo dzeu] ou bien 汉字 **hànzì**. La rivière Han  est un important affluent du fleuve Bleu. L'ethnie majoritaire de la Chine, environ 92 % de la population totale, se nomme également 汉 **Hàn**.

我学汉字。 **Wǒ xué hànzì** [wo ssüé h'ane-dzeu] *J'apprends les caractères chinois*. Autrement dit : *J'apprends à écrire le chinois*.

SAVOIR FAIRE

savoir faire

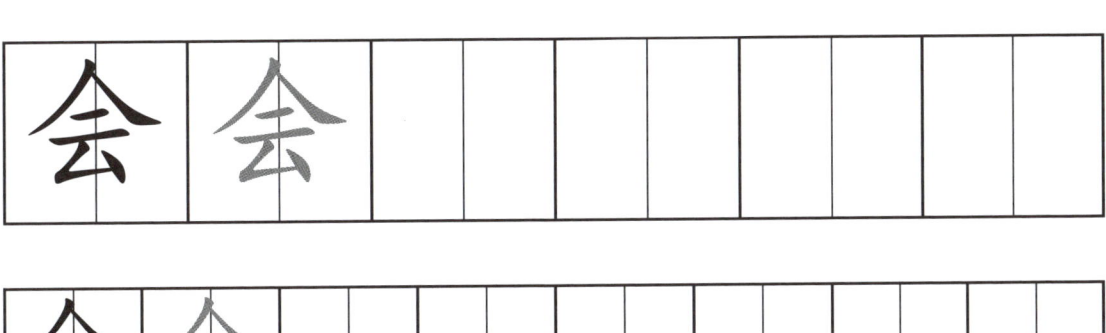

Savoir faire (quelque chose), **huì**, 4ᵉ ton, descendant et bref. On entend [h'oué].

Ce signe a été simplifié. Il lui reste l'une des formes de la clé de l'homme chapeautant un nuage. Rien de significatif.

Si l'on vous demande : 你会开车吗？ **Nǐ huì kāi chē ma** [ni h'oué k'aï tche ma] *Sais-tu conduire (une voiture) ?* Vous répondrez : 会。 **Huì.** *Oui* ou 不会。 **Bú huì.** *Non, je ne sais pas.*

Les verbes 学 **xué** *étudier* et 会 **huì** *savoir* peuvent se combiner pour indiquer l'acquisition d'une compétence : 学会 **xué-huì** *apprendre et ensuite savoir.* Par exemple : 我学会了三十个汉字，你呢？ **Wǒ xué-huì-le sān shí ge hànzì, nǐ ne ?** [wo ssüé-h'oué-le sane sheu gue h'ane-dzeu] *J'ai appris trente caractères, et toi ?*

说 parler, dire

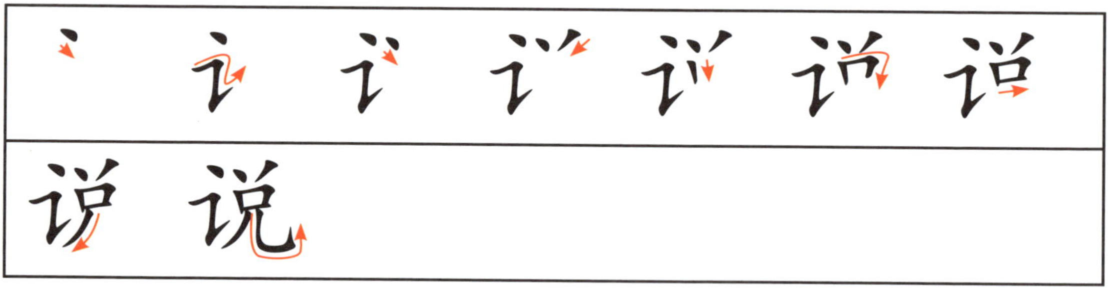

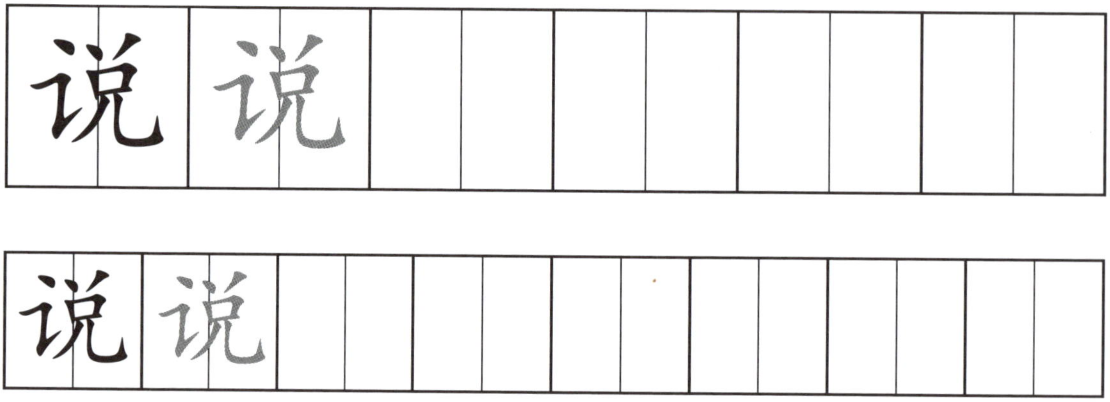

Parler, *dire*, **shuō**, 1er ton, haut et continu. On entend [shou-o]. En pinyin, **o** se prononce comme dans le mot français *or*.

Le tiers gauche du carré est occupé par la clé de la parole 讠, un point et un trait brisé avec crochet final. Attention : ce trait n° 2 n'est pas un « Z », sa partie centrale est parfaitement verticale. Le composant de droite est 兑. Il ne faut donc pas tracer les trois points supérieurs à la suite l'un de l'autre comme nous l'avions fait dans 学 **xué** *apprendre*.

Si on vous demande : 你会说中文吗？ **Nǐ huì shuō zhōngwén ma ?** [ni h'oué shouo djongwenne ma ?] *Tu sais parler chinois ?* Vous répéterez le verbe dans la réponse : 会一点。 **Huì yìdiǎn.** [h'oué yi-dienne] *Je sais un petit peu.* Ou plus modestement et prudemment : 会一点点。 **Huì yìdiǎn-diǎn.** *Je sais un tout petit peu.*

写 écrire

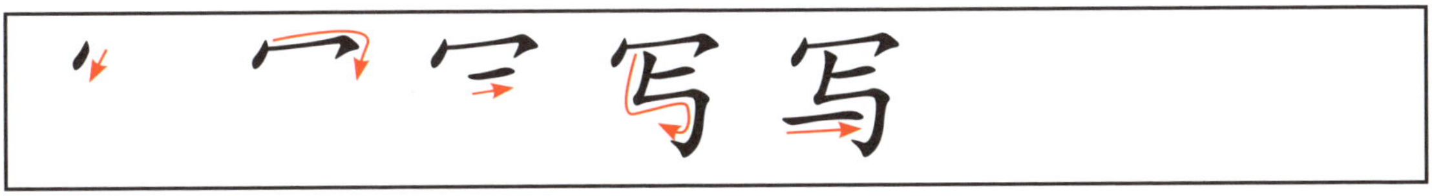

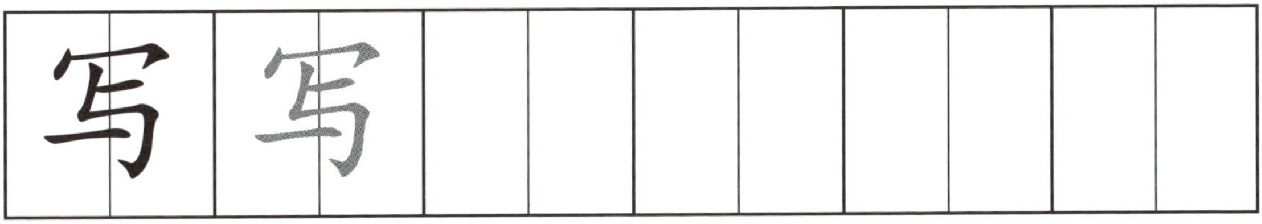

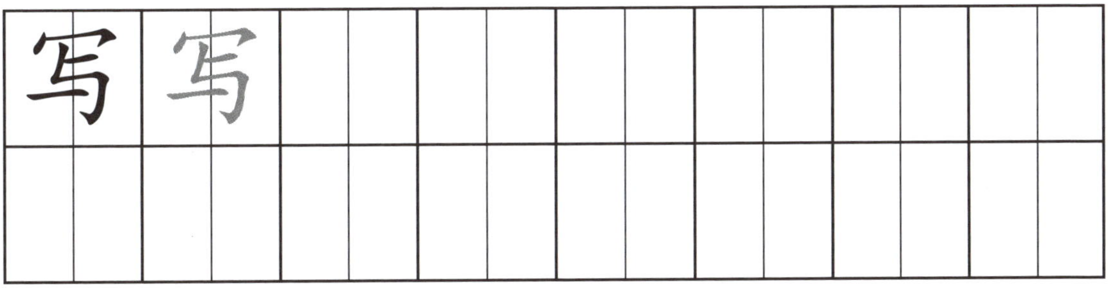

Écrire, **xiě**, 3ᵉ ton, grave. On entend [ssié].

Tracez d'abord la clé du *toit* ⌐ en haut, en deux traits, puis la partie du bas, en trois traits. Peut-être reconnaissez-vous le trait déjà appris avec 马 **mǎ** *cheval* ? Ce trait à deux angles ne part pas du milieu du toit, mais du tiers gauche.

À la question 你会写汉字吗？ **Nǐ huì xiě hànzì ma ?** [ni h'oué ssié h'ane-dzeu ma] *Tu sais écrire les caractères chinois ?*, vous répondrez : 我会写几个字。 **Wǒ huì xiě jǐ ge zì**. [wo h'oué ssié dyi gue dzeu] *Oui, je sais écrire quelques signes.*

Vous ajouterez peut-être au passage : 汉字太多！ **Hànzì tài duō !** [h'ane-dzeu t'aï douo] *Les caractères chinois, il y en a trop !* Ce ne sont en fait que les 500 premiers qui coûtent. On retient les suivants plus vite et mieux.

REGARDER

看 regarder

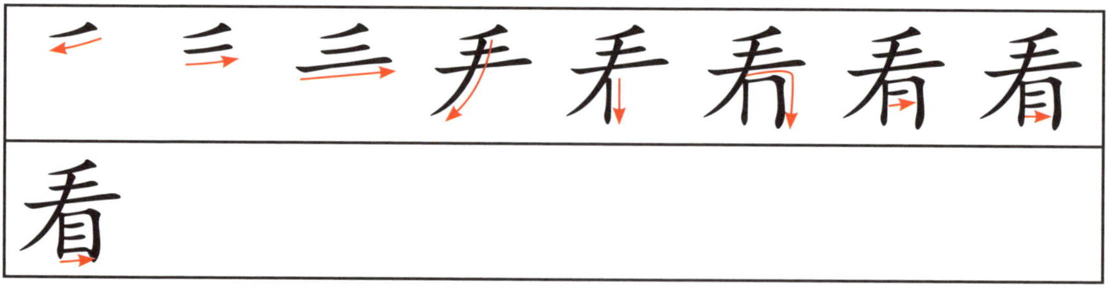

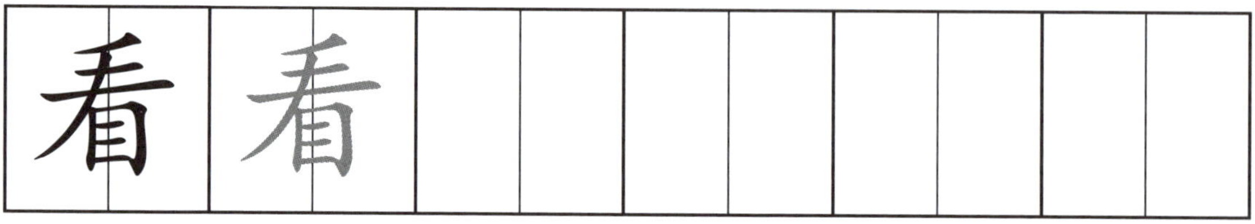

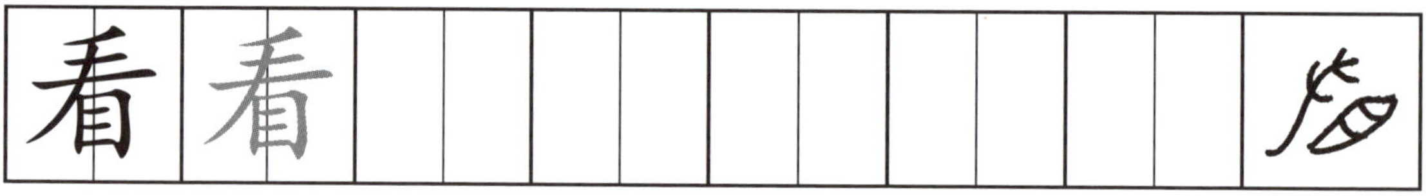

Regarder, **kàn**, 4ᵉ ton, descendant et bref. On entend [k'ane]. Soufflez fort après **k**.

Le signe antique comportait deux parties, comme son tracé actuel : en haut, une main tenant quelque chose, en bas, un œil *(voir ci-dessus)*. L'œil a subi une rotation de 90°. C'est à se demander si les caractères chinois n'auraient pas influencé Picasso ?

Le trait n°1 est un petit trait oblique qui va de droite à gauche. Les deux traits suivants, horizontaux, vont quant à eux de gauche à droite. Attention, tout en haut, le trait n°1 et le trait n°4 ne se croisent pas. On trace enfin les deux traits intérieurs de l'œil 目 **mù** *regard*, *œil*, avant de l'obturer.

Ce signe n'est pas facile à tracer car il empile sept étages de traits superposés ! Avant de le tracer, mieux vaut *bien regarder* 好好看看 **hǎo-hǎo kàn-kan**.

电 électricité

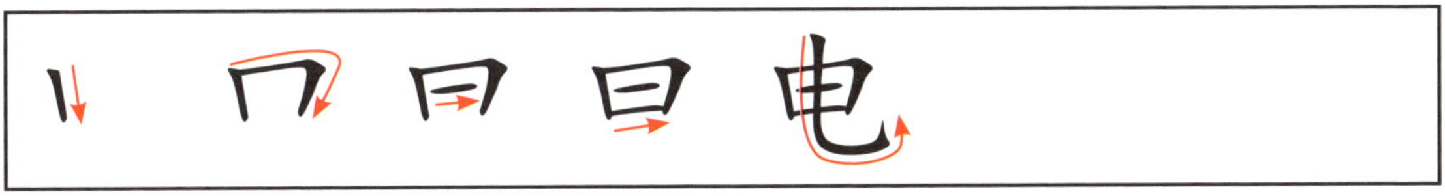

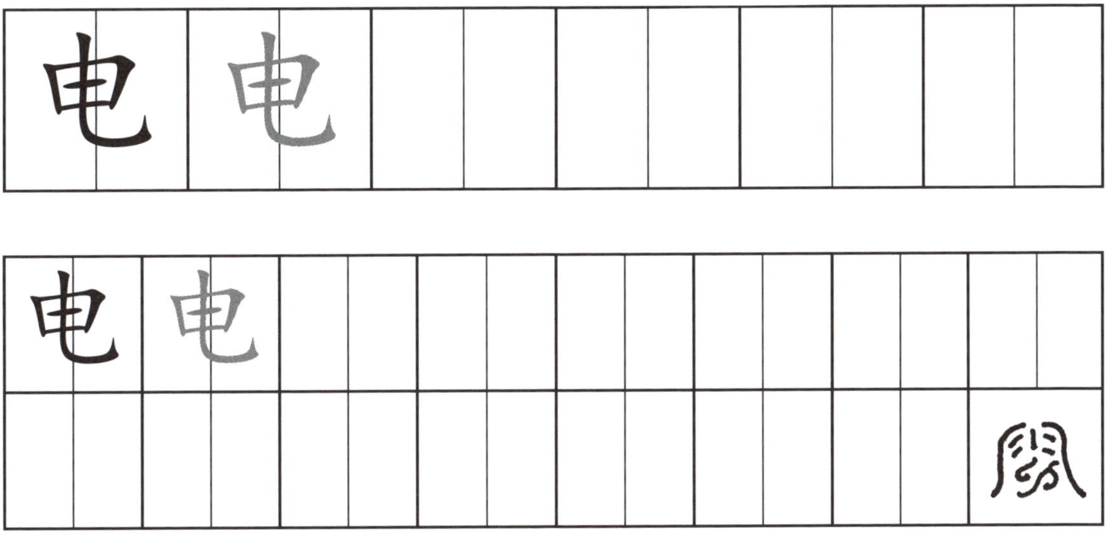

Électricité, **diàn**, 4ᵉ ton, descendant et bref. On entend entre [dienne] et [tienne].

电 **diàn** a été simplifié à partir du signe traditionnel 電 qui montre un nuage et la foudre qui rejoint le sol. Dans le signe simplifié, il ne reste que le champ et l'éclair.

Ce signe sert pour tout ce qui requiert de l'électricité : 电脑 **diànnǎo** [dienne-nao] *ordinateur* ; 电话 **diànhuà** [dienne-h'oua] *coup de fil*, *téléphone* ; 电邮 **diànyóu** [dienne-yoou] *courriel* ; 电影 **diànyǐng** *film*, *cinéma*, etc. Sauf pour le téléphone portable qui se dit 手机 **shǒujī** [shoou-dyi] *(main-appareil)*.

➔ 你要看电影吗 ? **Nǐ yào kàn diànyǐng ma ?** *Tu veux regarder un film ?*

MAIN

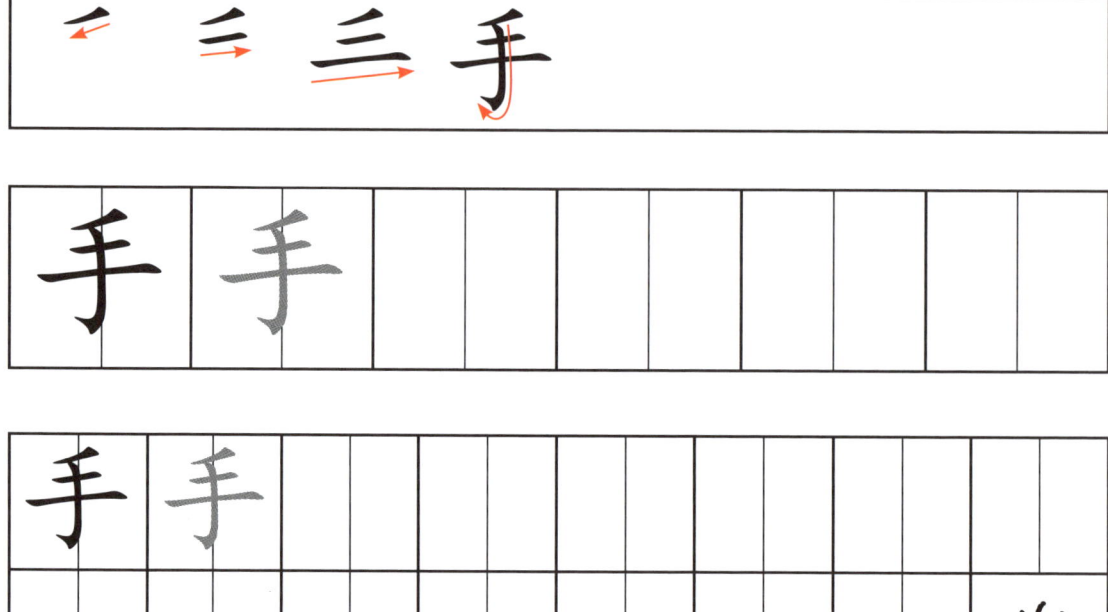

Main, **shǒu**, 3ᵉ ton, grave. On entend [shoou]. Comme **o** s'entend plus que **u** [ou], le ton est noté sur **o**.

Le premier trait est un trait oblique vers la gauche aplati, en fait un objet tenu à la main, comme dans 看 **kàn** *regarder*.

手写 **shǒuxiě** [shoou-ssié] veut dire *écrire à la main*. Lorsque l'on écrit à l'ordinateur la transcription pinyin et que l'on choisit ensuite le caractère qui convient, on dit 打字 **dǎ zì** [da dzeu] *taper des caractères*.

Si vous admirez la régularité et l'élégance de l'écriture chinoise de quelqu'un, vous pouvez le complimenter ainsi : 你写一手好字！ **Nǐ xiě yī shǒu hǎo zì !** *Ton écriture est superbe ! (tu as la main pour écrire de beaux caractères)*.

Palier 10

Trois curiosités
– Entre le numératif et le nom commun, le chinois emploie un classificateur.
– Certains mots peuvent être tantôt nom tantôt verbe, sans changer de forme.
– Certains signes renvoient à des notions chinoises quasi intraduisibles.

Questions
1. Traduisez : *Il y a une personne.*
   → ....

2. Traduisez : *J'ai appris dix caractères (et je les sais).*
   → ....

3. Dans 你学法文吗? **Nǐ xué fǎwén ma ?** 学 est-il un nom ou un verbe ?
   → ....

4. Comprenez-vous 今天上午 et 今天下午 ?
   → ....

5. Comprenez-vous 中午十二点了，吃午饭吧。**Zhōngwǔ shí èr diǎn le, chī wǔfàn ba.** ?
   → ....

Un secret et deux risques d'erreur
– La proportion des composants graphiques est le secret d'une belle écriture.
– Les tons ne sont pas des accents, comme en français.
– En pinyin, **e** a trois prononciations différentes.

Questions
6. Quel est le point commun entre 手 et 看 ?
   → ....

7. Quelle proportion du carré occupe la clé de la parole 讠 dans 说 **shuō** ?
   → ....

8. Comprenez-vous 你看有没有电。?
   → ....

9. Classez ces signes deux par deux selon la prononciation de leur **e** en pinyin : 写文车学人了.
   → ....

---

① 有一个人。 **Yǒu yī ge rén.** ② 我学会了十个汉字。 **Wǒ xué-huì-le shí ge hànzì.** ③ Un verbe : *Est-ce que tu apprends le français ?* ④ **Jīntiān shàngwǔ** *ce matin (aujourd'hui matin)* ; **Jīntiān xiàwǔ** *cet après-midi.* ⑤ *Il est midi pile, déjeunons.* ⑥ La présence d'une main : **shǒu** *main* ; **kàn** *regarder.* ⑦ Un tiers. ⑧ **Nǐ kàn yǒu-méi-yǒu diàn.** *Regarde s'il y a de l'électricité.* ⑨ 写 **xiě** et 学 **xué** ← [e] comme dans *thé* ; 车 **chē** et 了 **le** ← [e] comme dans *le* ; 文 **wén** et 人 **rén** ← entre [enne] et [eune].

AIMER, AMOUR

爱 aimer, amour

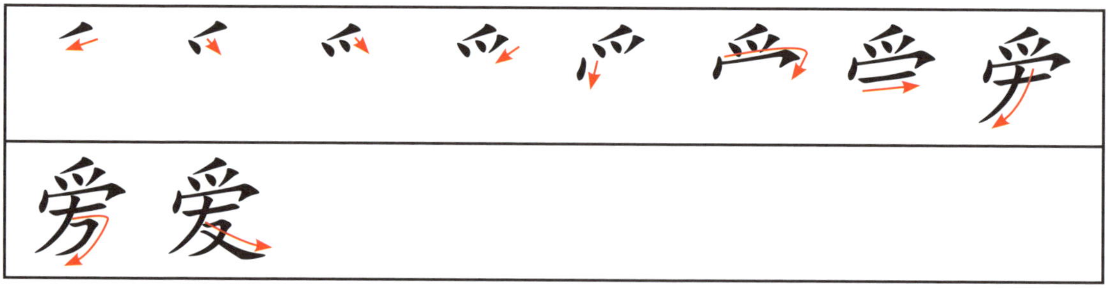

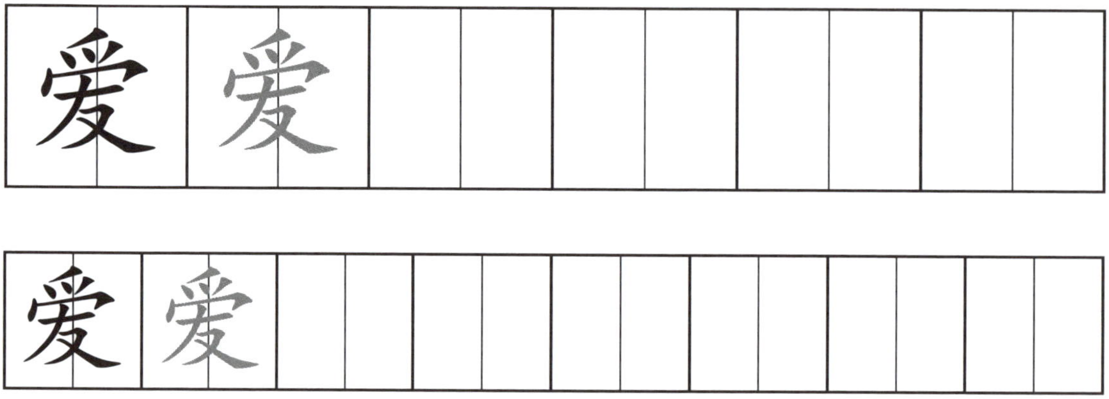

Aimer, amour, **ài**, 4ᵉ ton, descendant et bref. On entend [aï].

Le signe traditionnel 愛 **ài** a un cœur en plus. Le composant 友 **yǒu** représente deux mains jointes et signifie *ami(e)*, *amical*. Mais signalons aussi que la clé de 爱 est 爪 *la griffe*, écrite ici ⺤. Aïe, aïe, aïe !

Quelques fondamentaux : 我爱你。 **Wǒ ài nǐ.** *Je t'aime*. 你爱我吗？ **Nǐ ài wǒ ma ?** *Est-ce que tu m'aimes ?*

爱人 **àirén** *conjoint*. 我爱人 **wǒ àirén** signifie indifféremment *mon mari* ou *ma femme*. À éviter à Taïwan, où le terme signifie *amant* ou *maîtresse*.

我爱写字 **Wǒ ài xiě zì** *J'adore écrire* est le titre d'un manuel pour enfants.

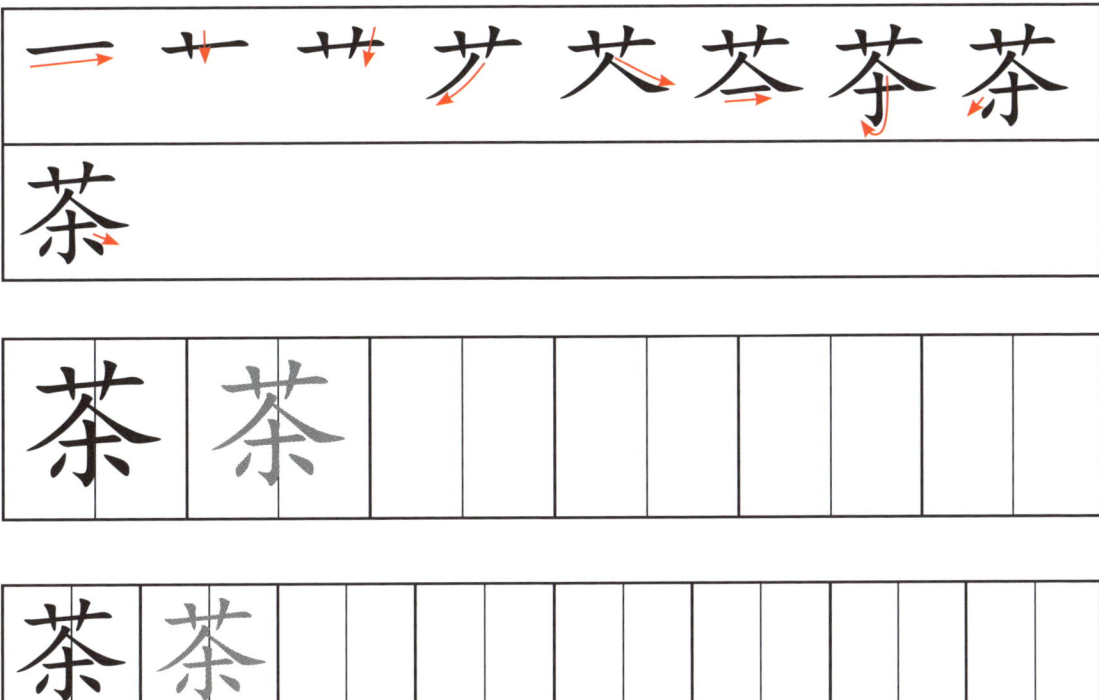

Thé, **chá**, 2ᵉ ton, montant. On entend [tcha].

Que voit-on ? En haut, la clé de *l'herbe* 艹 et en bas, un *arbuste*. Le théier est d'origine chinoise. Quelques régions du sud tropical produisent trois récoltes par an. Un thé bien préparé délecte et délasse, mais il faut savoir que la cueillette des feuilles, non mécanisée, irrite la peau des doigts…

➜ *Le Classique du thé* 茶经 est un livre du VIIIᵉ siècle sur l'art et la manière de préparer et déguster le thé **hē chá** [h'e tcha].

➜ **Nǐ ài hē shénme chá ?** [she-me tcha] *Quel thé aimes-tu boire ?*

➜ **Wǒ lái yī bēi lǜchá.** [lü-tcha] *Je vais prendre une tasse de thé vert.*

FLEUR

花 fleur

Fleur, **huā**, 1er ton, haut et continu. On entend [h'oua]. Le ton est noté sur **a** qui s'entend plus que **u**.

En haut, la clé de l'*herbe* 艹. En dessous, un composant phonétique que l'on retrouve dans d'autres caractères : 化 **huà** *changement* ; 华 **Huá** *la Chine*, etc.

我喝花茶。 **Wǒ hē huāchá** [wo h'e h'oua-tcha] *Je bois du thé aux fleurs*. Il s'agit sans doute de thé au jasmin, mais il existe aussi du thé au chrysanthème, très rafraîchissant par grosse chaleur.

Les citadins fréquentent les parcs et jardins publics pour y pratiquer la boxe taiji, le chant choral, la danse rythmique, les jeux de balle, le yo-yo, etc. Ou simplement pour se détendre et *regarder fleurs et plantes* 看花草 **kàn huā cǎo** [k'ane h'oua ts'ao].

竹 bambou

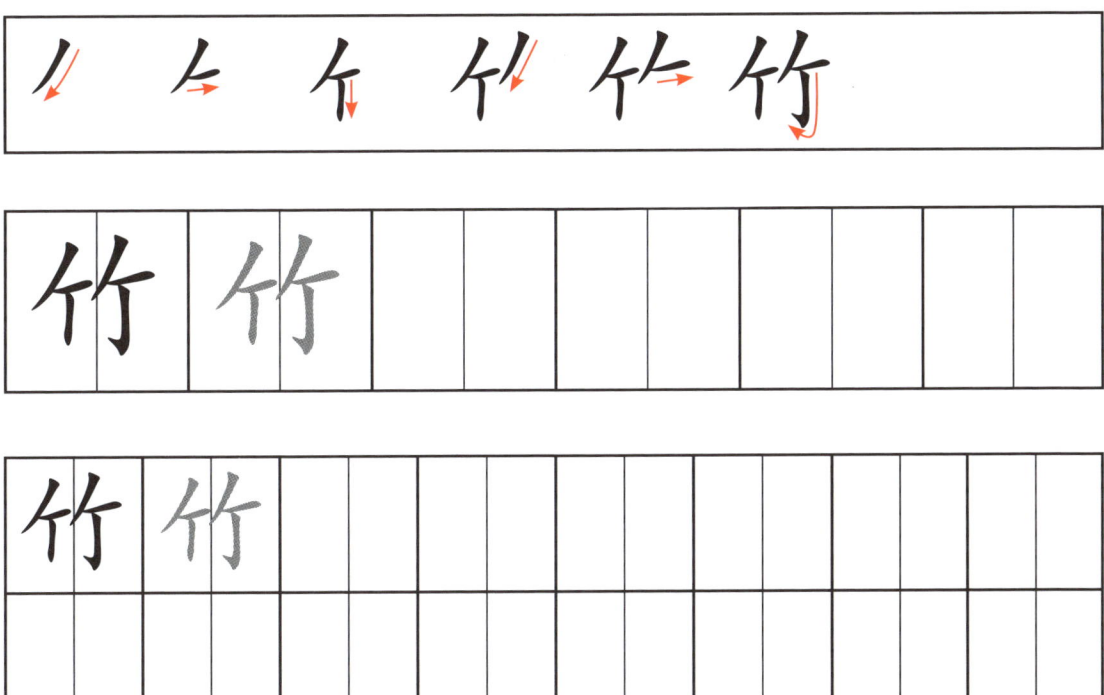

Bambou, **zhú**, 2ᵉ ton, montant. On entend [djou].

Ce pictogramme représente des feuilles nées de deux tiges.

C'est une clé fréquente pour les objets traditionnellement fabriqués en bambou : **dízi** *flûte* ; **kuàizi** *baguettes* ; **máobǐ** *pinceau*, etc.

La langue orale préférant les dissyllabes, on dit plutôt **zhúzi** [djou-dzeu] pour nommer les bambous du jardin. Espèce invasive de croissance rapide, ils sont lignifiés, siliceux et solides, fistuleux, cloisonnés aux nœuds, flexibles, adaptables à tout climat, presque imputrescibles. Bref, mieux vaut s'en faire des amis utiles – échafaudages, constructions légères, palissades, meubles et ustensiles – que de les laisser proliférer…

SOL, TERRE

地 sol, terre

Sol, *terre*, **dì**, 4ᵉ ton, descendant. On entend entre [di] et [ti].

La clé de la terre 土 **tǔ** [t'ou] occupe le tiers gauche du carré. Sa base s'incline en direction du trait suivant que l'on incline aussi, dans le prolongement, jusqu'à un angle d'environ 45°. Pour que le tout trouve son assise, remarquez les croisements et les diverses hauteurs du composant de droite.

你去什么地方？ **Nǐ qù shénme dìfang ?** [t'chü she-me di-fang] *Tu vas à quel endroit ?* 我去公园。 **Wǒ qù gōngyuán** [tchü gong-yüenne] *Je vais au jardin public.*

L'idée de *Nature* peut se dire 天地万物 **tiān dì wàn wù** [t'ienne di wane wou], littéralement *les dix mille êtres/choses du ciel et de la terre*. Êtres ou choses ? Question difficile car 物 **wù** inclut tout à la fois les êtres animés, les végétaux et les minéraux.

MARCHER, S'EN ALLER

走 marcher, s'en aller

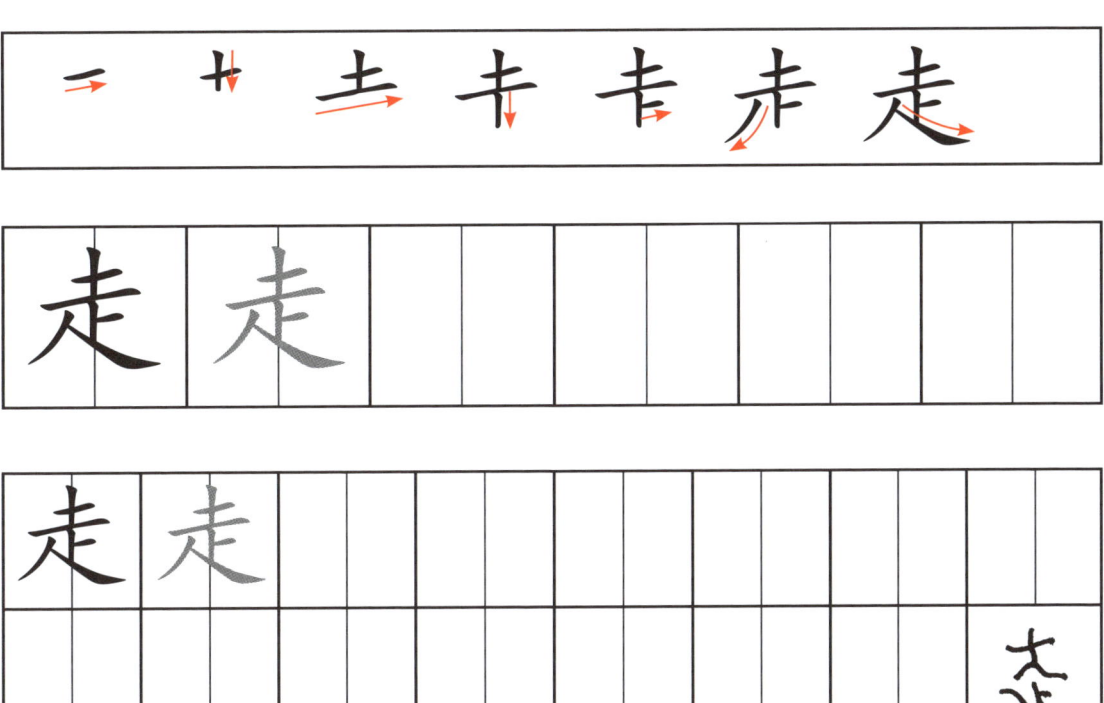

Marcher, s'en aller, **zǒu**, 3ᵉ ton, grave. On entend [dzoou]. Le ton est noté sur la voyelle dominante.

En haut, la clé de la *terre* 土 **tǔ** [t'ou]. Le bas représente un pied ou une empreinte de pas. C'est le même tracé que dans 是 **shi** *être*.

Une proposition utile : 去公园走走，好不好？ **Qù gōngyuán zǒu-zou, hǎo-bu-hǎo ?** [t'chü gong-yüenne dzoou-dzoou, h'ao-bou-h'ao] *Et si on allait marcher un peu au jardin public, d'accord ?* Si vous êtes d'accord, vous répondrez : 好。 **Hǎo.** *Bon, d'accord.*

En partant, on dit à ceux qui restent : 我走了，再见。 **Wǒ zǒu le, zài jiàn.** [wo dzoou le, dzaï dyienne] *Je m'en vais, au revoir.*

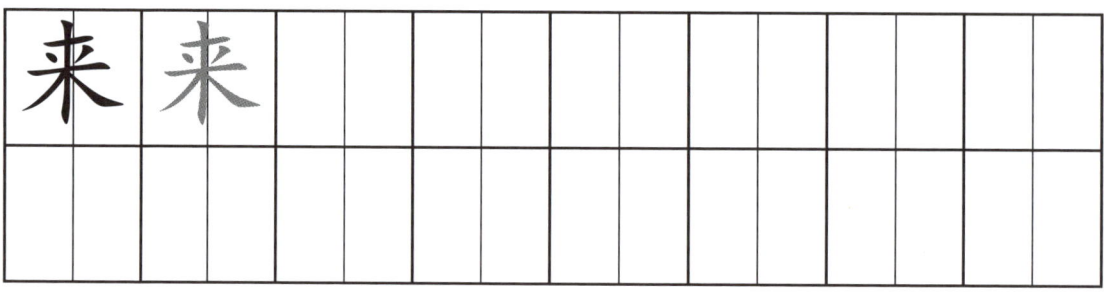

Venir, **lái**, 2e ton, montant. On entend [laï].

Auriez-vous deviné l'ordre des traits ? On descend, remonte, passe de gauche à droite… Attention : le trait vertical médian se trace en une fois, mais sans crochet bien que l'on remonte ensuite vers le trait oblique gauche, ce qui constitue une exception.

Ne confondez pas *aller* et *venir* :

➜ 去中国 **qù Zhōngguó** [t'chü djong-gouo] *aller en Chine.*

➜ 来中国 **lái Zhōngguó** *venir en Chine.*

➜ 我是第一次来中国。**Wǒ shi dì yī cì lái Zhōngguó** [wo sheu di yi ts'eu laï djong-gouo] *C'est la première fois que je viens en Chine.*

VIEUX, VIEILLE, ÂGÉ(E)

老 *vieux, vieille, âgé(e)*

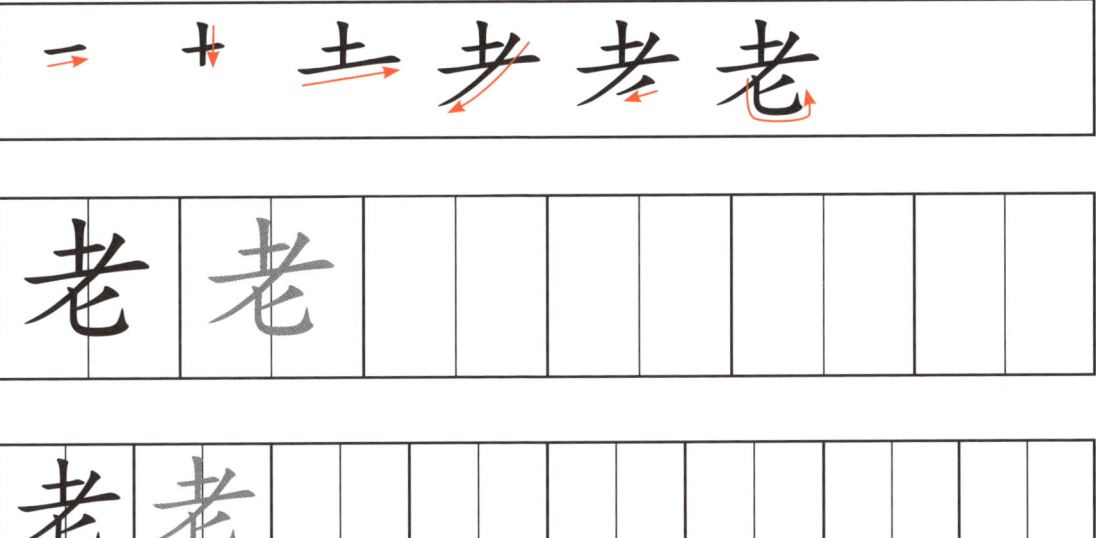

Vieux, vieille, âgé(e), **lǎo**, 3ᵉ ton, grave. On entend [lao]. Attention : ne prononcez pas cet adjectif comme *là-haut*, on saurait tout de suite que vous êtes francophone !

On dit que le trait oblique gauche qui traverse le signe représente une canne. Les débutants ont tendance à décaler le bas du composant 匕 vers la droite. Trouvez-lui sa juste place, pour ne pas déséquilibrer ce senior.

S'agissant d'une personne, cet adjectif n'a rien d'irrespectueux, surtout si on introduit le classificateur de politesse 位 **wèi**. Exemples : 一位老人 **yī wèi lǎorén** [yi weï lao-jenne] *une personne âgée* ; 老太太 **lǎo tàitai** [lao t'aï-t'aï] *vieille dame* ; 老先生 **lǎo xiānsheng** [lao ssienne-sheung] *vieux monsieur* ; 老手 **lǎoshǒu** [lao-shoou] *main experte, personne expérimentée.*

FAMILLE, FOYER

家 famille, foyer

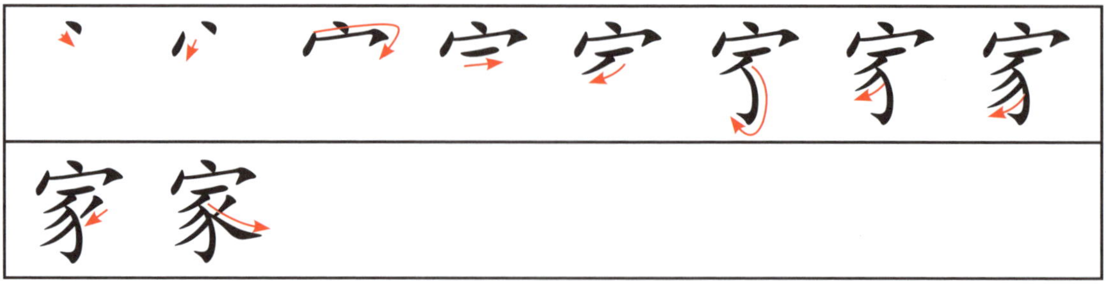

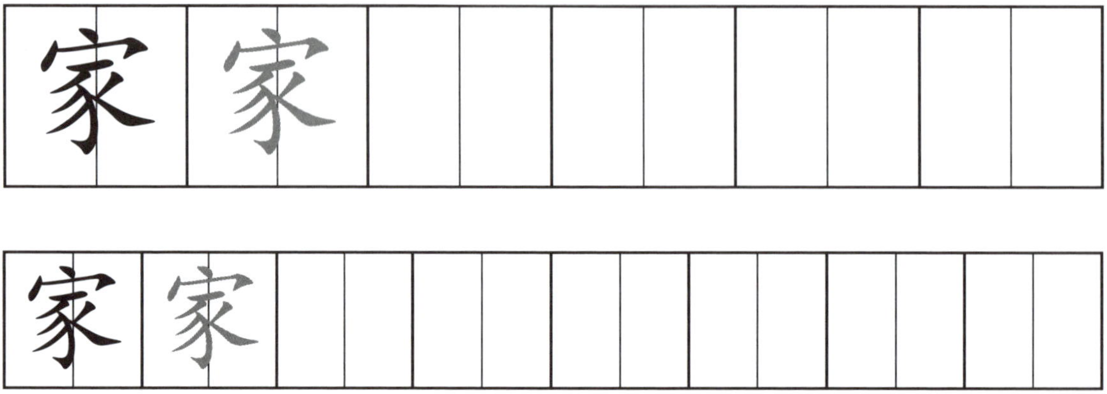

Famille, *foyer*, **jiā**, 1er ton, haut et continu. On entend entre [dyia] et [tyia].

En haut, on a la clé du toit 宀 et en dessous, un cochon 豕 ! Les origines de ce signe remontent loin. Au Néolithique, les hommes se sédentarisent pour cultiver la terre. Ils domestiquent quelques animaux, dont le sanglier. Cherchez dans ce signe la tête, une défense, les quatre pattes et la queue du cochon…

你家有几口人？ **Nǐ jiā yǒu jǐ kǒu rén ?** [ni dyia yoou dyi k'oou jenne] *Combien êtes-vous dans ta famille ?* En République Populaire de Chine, la politique de l'enfant unique a rendu cette question assez sensible… sauf si elle est posée à un étranger.

老家 *lǎojiā vieux foyer* est le *lieu ancestral d'une famille*. En dépit du brassage urbain, les Chinois savent encore d'où ils sont originaires, où vivaient leurs ancêtres.

RETOURNER, RENTRER

回 retourner, rentrer

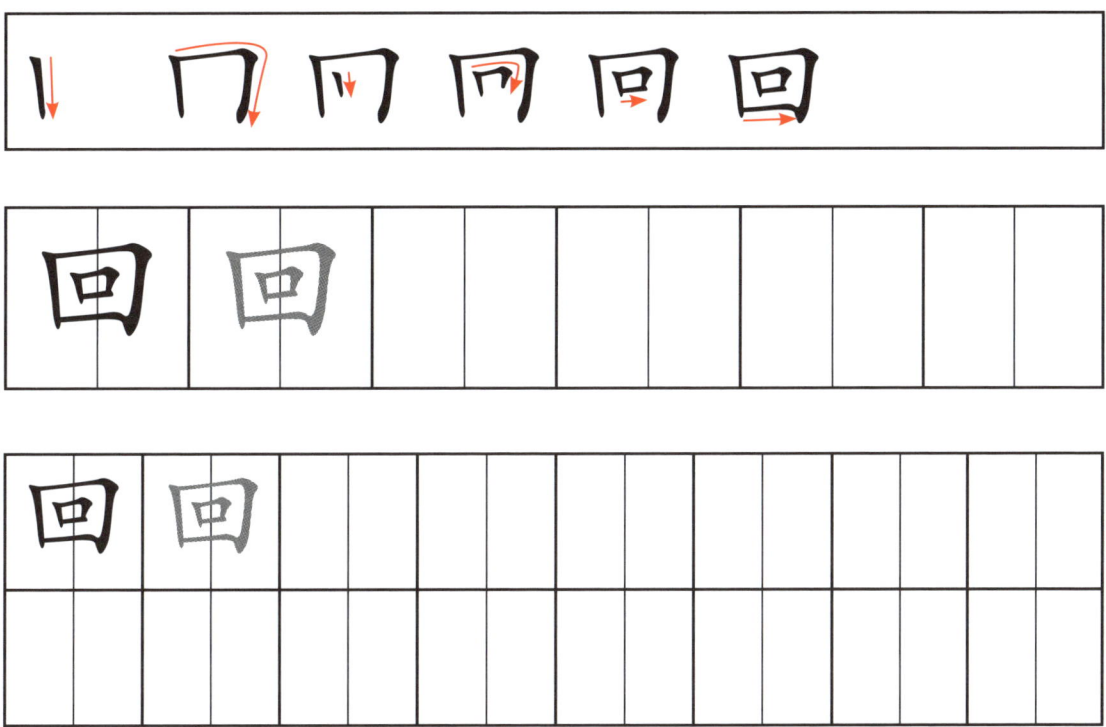

Retourner, *rentrer*, **huí**, 2ᵉ ton, montant. On entend [h'oué].

Le signe antique ressemblait à un tournoiement. Un tourbillon ? Ce signe illustre l'ordre typique d'exécution des traits : le contour, l'intérieur, enfin la base qui pose ou obture.

Comparez :

→ 我回家。 **Wǒ huí jiā.** [wo h'oué dyia] *Je rentre chez moi (là ou j'habite).*

→ 我回国。 **Wǒ huí guó.** *Je rentre dans mon pays.*

→ 我回老家。 **Wǒ huí lǎojiā.** *Je rentre chez mes parents / grands-parents / ancêtres.*

回回 **Huíhuí** désigne les *Chinois de culture musulmane* (soit de 10 à 12 millions d'individus), installés de longue date un peu partout, *via* la route de la soie. Les visages ne se distinguent plus, mais les usages alimentaires persistent.

PÈRE

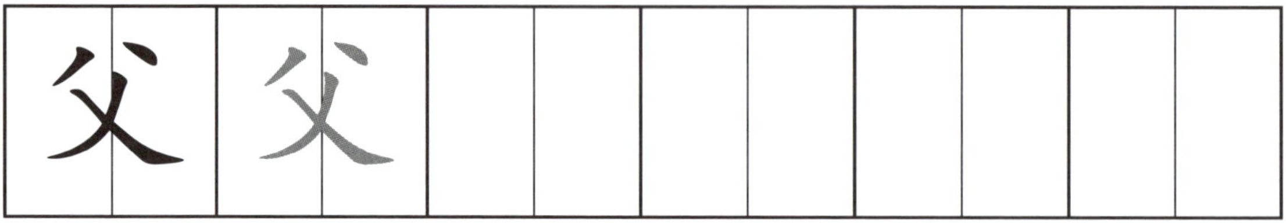

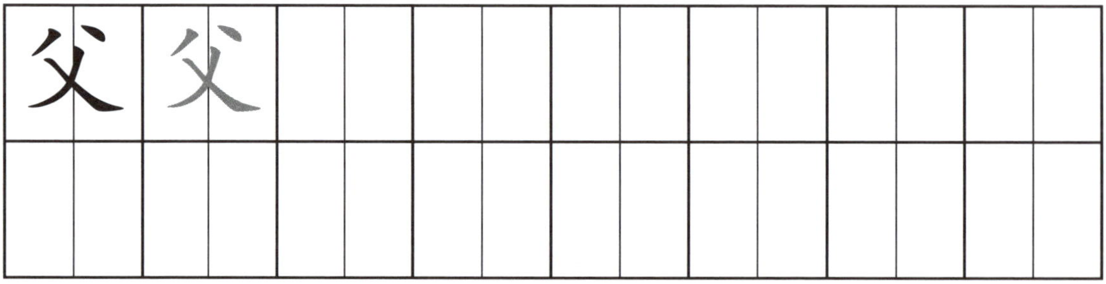

Père, **fù**, 4e ton, descendant et bref. On entend [fou].

En haut, deux points divergents. En dessous, une croix dissymétrique dans l'ordre gauche-droite, pour terminer en bas à droite du cadre carré.

Dans la langue orale, cette syllabe ne s'emploie pas seule. On dit 我父亲 **wǒ fùqīn** [wo fou-tch'ine] *mon père* ou affectueusement 我爸爸 **wǒ bàba** *mon papa*. Le signe 爸 **bà** est d'ailleurs chapeauté par la clé du *père* 父 *fù*.

À Taïwan, le docteur Sun Yat Sen (1866-1925) est appelé *père de la Nation* 国父 **guófù** [gouo-fou] pour avoir contribué à la chute de la dynastie mandchoue en 1911 (fin de l'Empire) et inspiré l'avènement de la première République de Chine en 1912.

母 mère

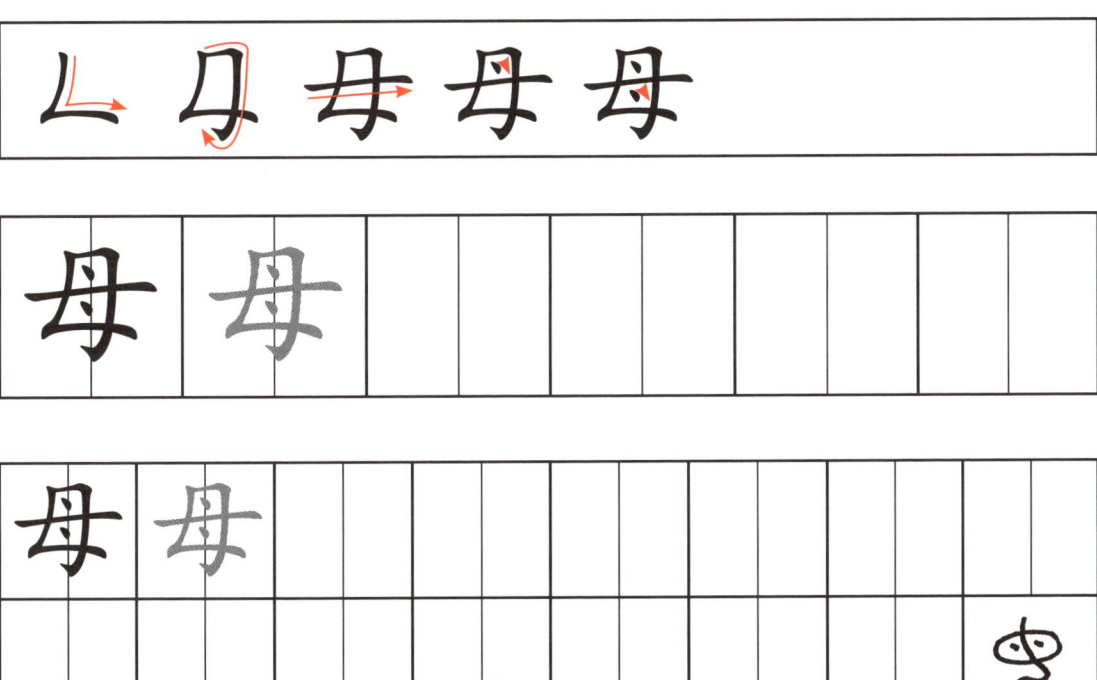

Mère, **mǔ**, 3ᵉ ton, grave. On entend [mou].

Souvenez-vous de l'ordre des traits de 女 **nǔ** *femme, féminin*. Ici, le trait n°1 く a changé d'angle ∠. Le trait n°2 a un angle droit et un crochet. On ajoute les bras d'un seul geste, puis deux tétons pour le bébé qui a faim. Véridique !

Au quotidien, *ma mère* se dit 我母亲 **wǒ mǔqīn** [wo mou-t'chine] ou 我妈妈 **wǒ māma**. *Mes parents* se dit 我父母 **wǒ fùmǔ** [wo fou-mou] ou 我爸妈 **wǒ bàmā**.

La Reine-mère de l'Ouest 西王母 **Xī Wángmǔ** [ssi-wangmou] est un personnage mythologique et une divinité taoïste. Elle réside dans un palais des monts Kunlun 🗝 où poussent des pêches d'immortalité… C'est pourquoi offrir une pêche bien mûre à un senior revient à lui souhaiter longue vie.

CHER, PRÉCIEUX

贵 cher, onéreux

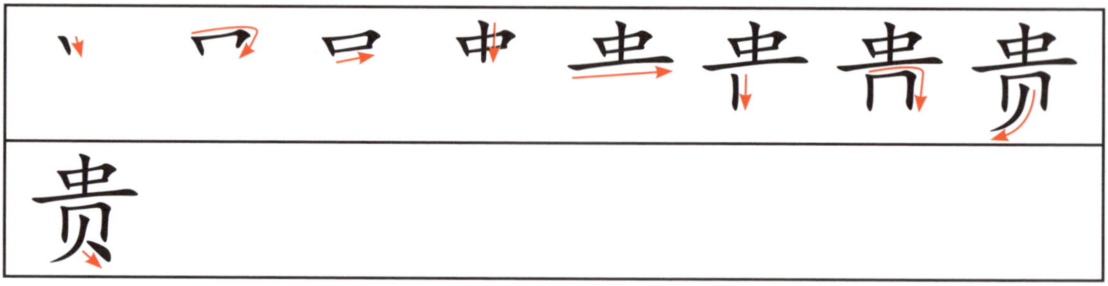

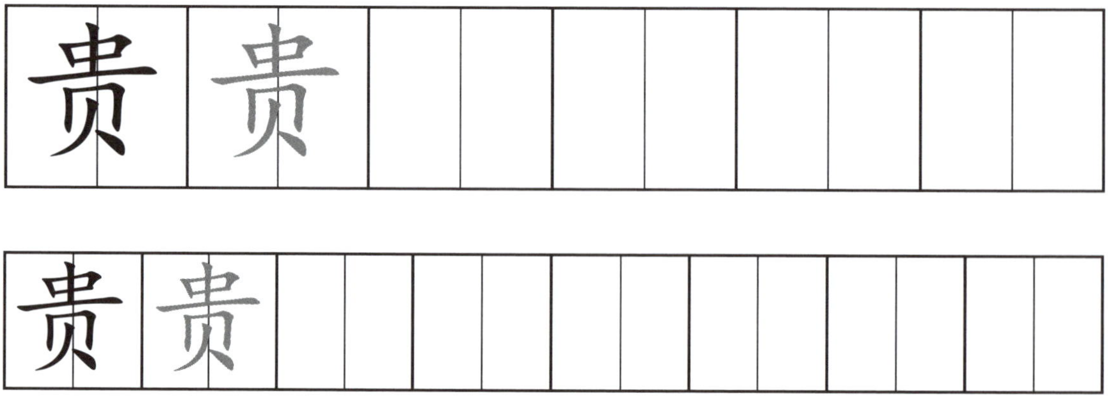

Cher, onéreux, **guì**, 4ᵉ ton, descendant et bref. On entend entre [goué] et [koué].

En bas, la clé du *coquillage* ou de la *coquille* 贝 **bèi**. Les « jambes » qui dépassent sont la partie externe de l'animal. Partout dans le monde, à une très haute époque, les coquilles et cauris ont servi de monnaie d'échanges.

Lors d'un marchandage, vous direz ou entendrez :

→ 很贵。 **Hěn guì.** [h'enne goué] *C'est très cher.*

→ 太贵。 **Tài guì.** [t'aï goué] *C'est trop cher.*

→ 不太贵。 **Bú tài guì.** [bou t'aï goué] *Ce n'est pas trop cher.*

→ 有点贵。 **Yǒudiǎn guì.** [yoou-dienne goué] *C'est un peu cher.*

→ 不贵。 **Bú guì.** [bou goué] *Ce n'est pas cher.*

NOM DE FAMILLE, PATRONYME

姓 **nom de famille, patronyme**

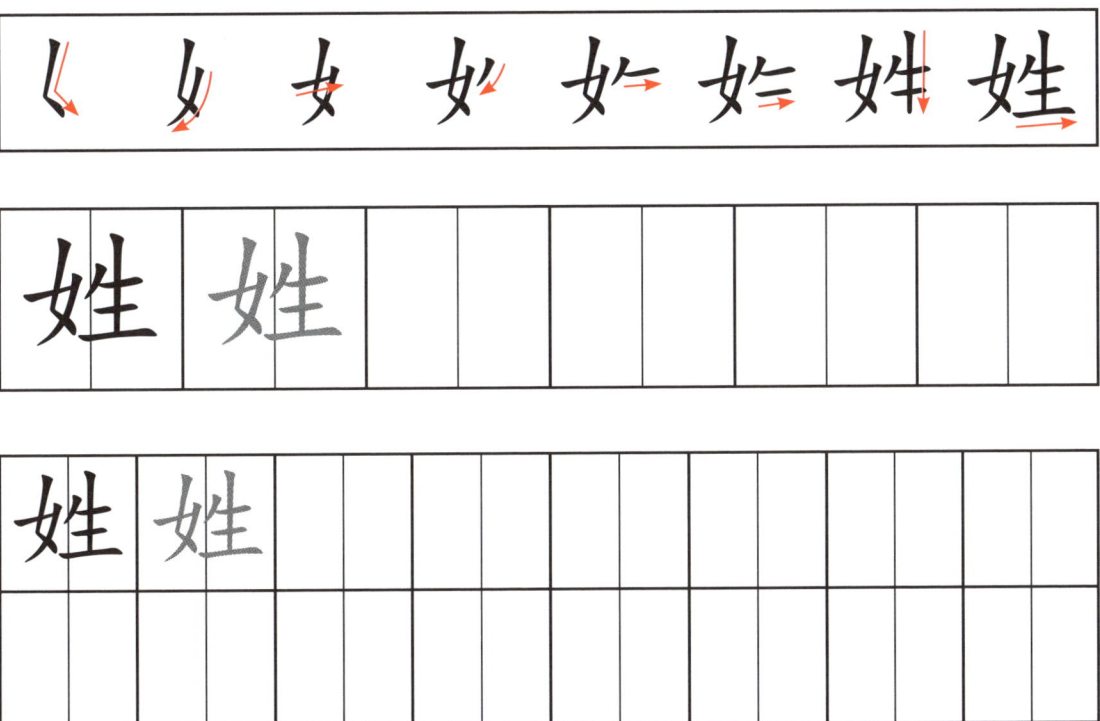

Nom de famille, *patronyme*, **xìng**, 4ᵉ ton, descendant et bref. On entend [ssing].

À gauche, la clé de la femme 女 **nǚ**. Le composant de droite est 生 **shēng** [sheung] *naître, donner naissance*. On ne sait pas expliquer avec certitude l'étymologie de ce signe puisque le nom de famille est transmis par le père.

您贵姓？ **Nín guì xìng ?** [nine goué ssing] *Puis-je vous demander votre nom de famille ?* (*votre précieux nom* est la formule de politesse). De façon plus égalitaire : 你姓什么？ **Nǐ xìng shénme ?** [ni ssing she-me] *Quel est ton nom de famille ?*

Le peuple, les gens, se dit souvent 老百姓 **lǎobǎixìng** (*vieux-cent-noms*). En fait, il existe bien plus de cent patronymes chinois, mais beaucoup sont rares. Les plus fréquents sont Wang, Li et Zhang.

CYCLE, SEMAINE

周 *cycle, semaine*

Cycle, semaine, **zhōu**, 1ᵉʳ ton, haut et continu. On entend [djo-ou].

Ce signe commence par un contour 冂 comme dans 国 **guó** *pays*, mais on n'obture pas la base. À l'intérieur, la *terre* 土 **tǔ** [t'ou] et une bouche 口 **kǒu** [k'oou].

Ce mot se combine aux chiffres de 1 à 6 pour nommer les jours de la semaine. Curieusement, la semaine commence par le dimanche, jour du soleil 日 **rì** :

- ➔ 周日 **zhōu rì** [jeu] *dimanche*
- ➔ 周一 **zhōu yī** [djoou yi] *lundi*
- ➔ 周二 **zhōu èr** [djoou er] *mardi*
- ➔ 周三 **zhōu sān** [sane] *mercredi*
- ➔ 周四 **zhōu sì** [seu] *jeudi*
- ➔ 周五 **zhou wǔ** [wou] *vendredi*
- ➔ 周六 **zhōu liù** [liou] *samedi*
- ➔ 周末 **zhōumò** *le week-end*

REPOS, SE REPOSER

休 repos, se reposer

Repos, se reposer, **xiū**, 1er ton, haut et continu. On entend [ssiou].

À gauche, la clé de *l'homme* 亻 et à droite, le bois 木 **mù**. Dormir comme une souche, en somme !

Au quotidien, on dit 休息 **xiūxi** [ssiou-ssi], avec deux syllabes : 休息休息吧。**Xiūxi-xiūxi ba.** *Repose-toi un peu.*

Les Chinois apprécient de plus en plus les congés, notamment ceux de la fête du Printemps et du Premier octobre : 黄金周可以休息一周。**Huángjīn zhōu kěyi xiūxi yī zhōu.** [h'ouang-dyine djoou k'e-yi ssiou-ssi yi djoou] *Pour la semaine d'or on peut se reposer une semaine / on a une semaine de repos.*

TRAVAIL, TRAVAILLER

工 travail, travailler

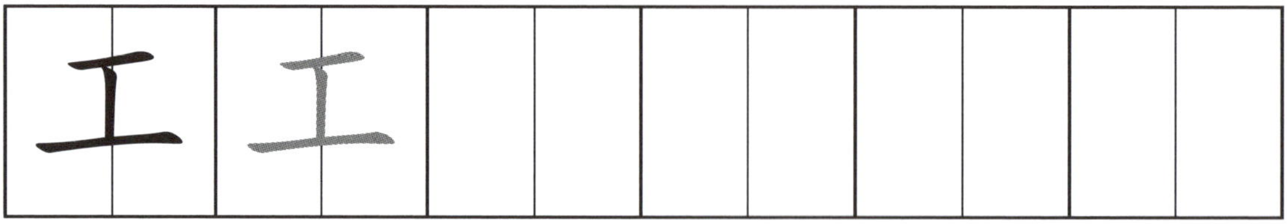

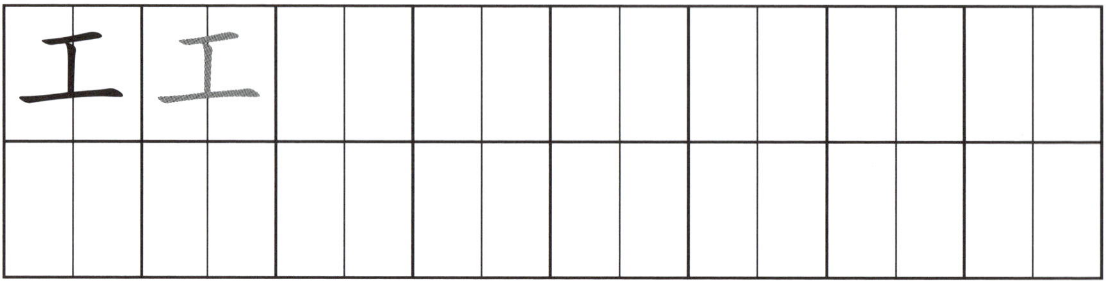

Travail, *travailler*, **gōng**, 1ᵉʳ ton, haut et continu. On entend [gong].

Le signe antique représentait une équerre de charpentier.

Au quotidien, on dit 工作 **gōngzuò** [gong-dzouo] avec deux syllabes :

➜ 我明天工作。 **Wǒ míngtiān gōngzuò.** *Je travaille demain.*

➜ 他没有工作。 **Tā méi yǒu gōngzuò.** *Il n'a pas de travail.*

Le pays est couvert de *chantiers*, 工地 **gōngdì**, où travaillent des *ouvriers*, 工人 **gōngrén** [gong-jenne]. Le bâtiment emploie également des 农民工 **nóngmíngōng** [nong-min-gong], c'est-à-dire des *paysans devenus ouvriers*.

海 mer

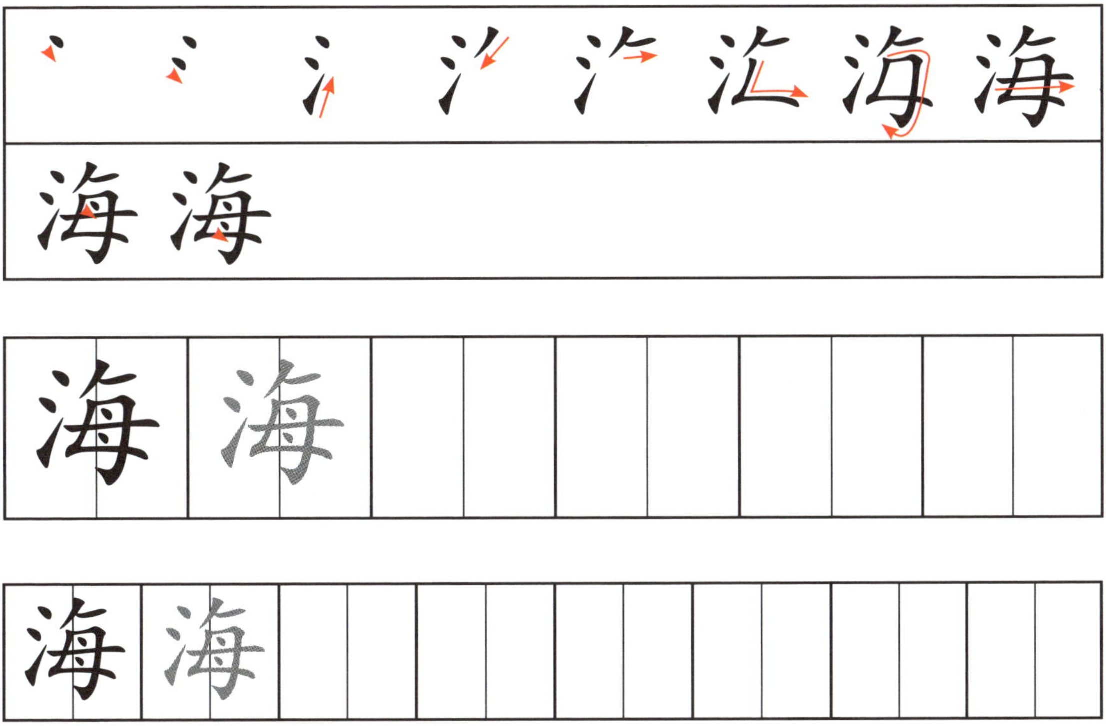

Mer, **hǎi**, 3ᵉ ton, grave. On entend [h'aï].

Dans le tiers gauche, la clé de l'eau 氵. À droite, deux composants : les baguettes comme dans 吃 **chī** *manger*. En dessous, *la mère* 母 **mǔ**. Le tout n'est pas si facile à encastrer. Sinon, écrivez plus carré, plus raide, par exemple 海.

上海 **Shànghǎi** [shang-h'aï] n'est pas directement au bord de la mer, mais son port 港 est impressionnant.

La mer du Japon 日本海 **Rìběn hǎi** se situe entre le Japon, les deux Corée et la Russie. *La mer de Chine* 港 中国海 **Zhōngguó hǎi** se trouve plus au sud. Elle comprend *la mer de Chine orientale* 东海 **Dōnghǎi** et, encore plus au sud, *la mer de Chine méridionale* 南海 **Nánhǎi**. Presque chaque île est objet de litige entre nations voisines.

FLEUVE, RIVIÈRE

河 fleuve, rivière

Fleuve, rivière, **hé**, 2ᵉ ton, montant. Attention : en pinyin, **é** représente un 2ᵉ ton sur **e**. Ne dites pas *ré* comme dans « do, ré, mi » ! On entend [h'e].

Dans le tiers gauche, la clé de l'eau 氵. Le composant de droite, 可 **kě**, finit par un crochet, ce qui est une exception.

Ce seul signe désignait autrefois le fleuve Jaune 黄河 **Huánghé** [h'ouang-h'e] de la Chine du Nord. Il prend sa source dans la province du Qinghai et se jette dans le golfe du Bohai, 5 464 km plus loin. Malheureusement, il manque d'eau désormais.

Le grand fleuve du sud, appelé fleuve Bleu ou Yangtsé en France, se nomme 长江 **Chángjiāng** [tchang-dyiang] en chinois, ce qui signifie « long fleuve » : 6 380 km. En tibétain, il s'appelle Dri Chu, *fleuve de la femelle du yak*.

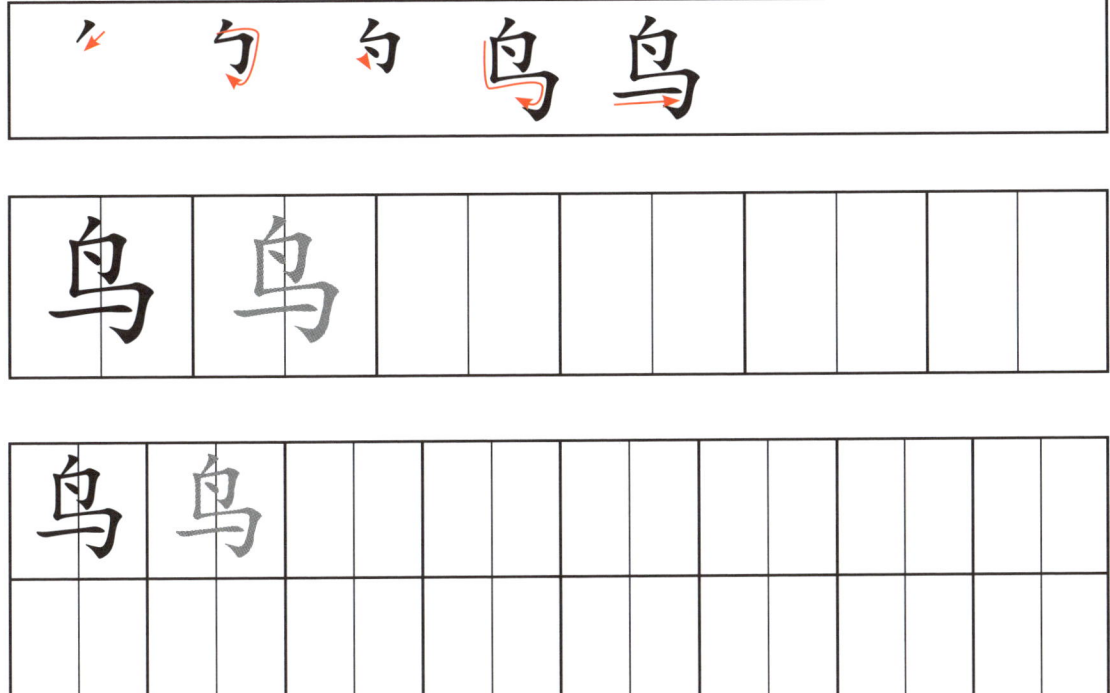

Oiseau, **niǎo**, 3ᵉ ton, grave.

Ce signe sert de clé aux différents volatiles. Le premier point est une huppe, vient ensuite la tête, l'œil, le corps et les pattes, ou plutôt ce qu'il en reste !

Un genre de peinture chinoise s'appelle 花鸟画 **huāniǎo huà** [h'oua-niao-h'oua]. On y détaille à plaisir fleurs et oiseaux. De style un peu 老派 **lǎo pài** *vieillot*, ce genre atteste d'un sens aigu de l'observation de la nature.

Une expression chinoise analogue à *faire d'une pierre deux coups* existe, mais elle est plus méchante : 一石二鸟 **yī shí èr niǎo** [yi sheu er niao] *une pierre deux oiseaux*…

VOLER (DANS LES AIRS)

飞 voler (dans les airs)

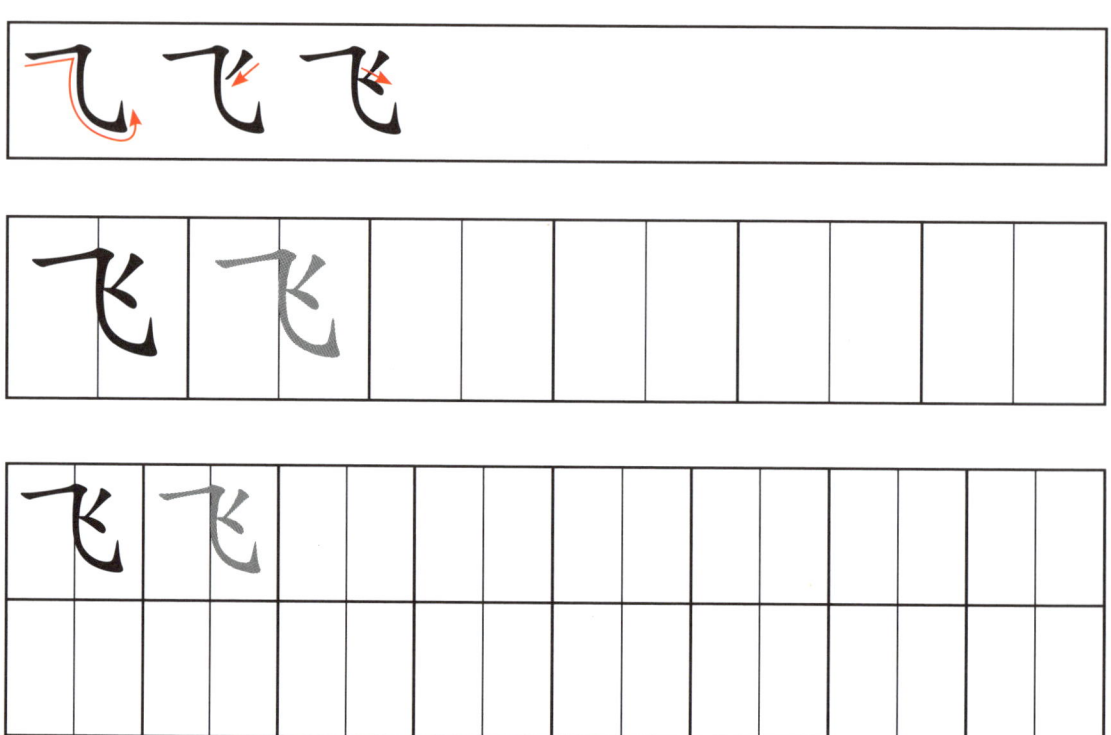

Voler (dans les airs), **fēi**, 1er ton, haut et continu. On entend [feï].

Le signe traditionnel s'écrit 飛. Le signe simplifié a subi une réduction drastique de neuf à trois traits. Mais il reste deux plumes, à moins que ce ne soit deux ailes ?

Une fable : Zhuangzi s'endormit dans un jardin et se mit à rêver d'un papillon qui *voletait de-ci de-là* 飞来飞去 **fēi-lái fēi-qù** [feï-laï feï-tch'ü]. Fatigué, le papillon se pose et s'endort. Il rêve qu'il est Zhuangzi endormi. C'est alors que Zhuangzi s'éveille. Est-il lui-même ou le Zhuangzi du rêve du papillon ? Est-ce lui qui a rêvé du papillon ou le papillon qui a rêvé de lui ?

Zhuangzi, de son vrai nom Zhuang Zhou, vécut au IVe siècle avant notre ère. Il nous a laissé un livre magnifique, intitulé *Zhuangzi*.

岛 île

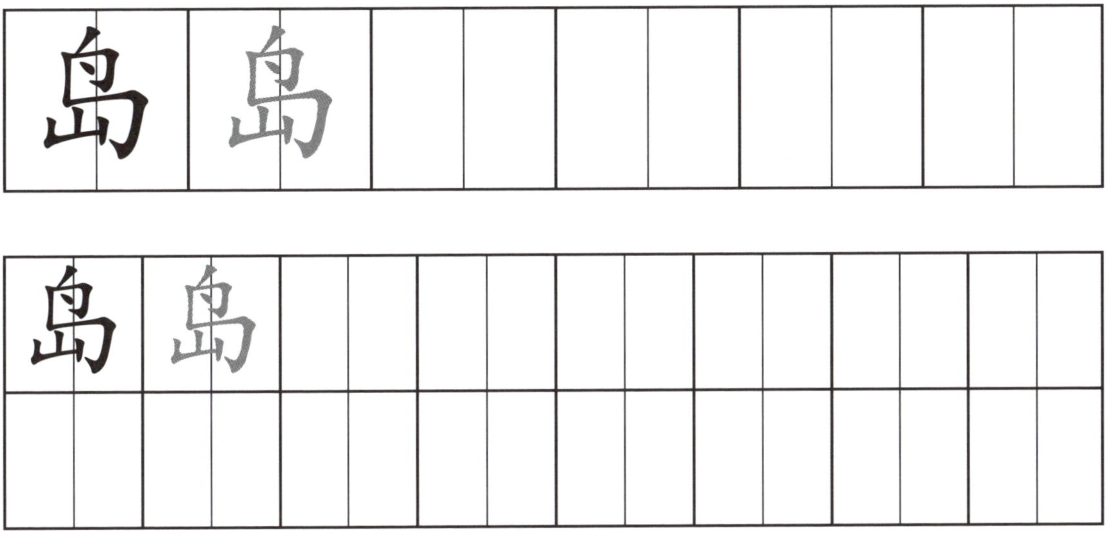

Île, **dǎo**, 3ᵉ ton, grave. On entend entre [dao] et [tao].

Ce signe montre un *oiseau*, 鸟 **niǎo**, qui, peut-être las de voler au-dessus de la mer, se pose sur une hauteur, 山 **shān** *montagne*.

Connaissez-vous la célèbre bière de 青岛 **Qīngdǎo** [tch'ing-dao] *Île verte* ? Elle naquit dans une brasserie allemande de la péninsule du 山东 **Shāndōng**. L'entreprise est devenue gigantesque, la bière, elle, est restée légère.

Sur une carte, on localise aisément une île du Sud appelée 海南岛 **Hǎinán dǎo** *l'île de Hainan*. C'est le lieu le plus tropical, le plus méridional de Chine, à la même latitude que Tamanrasset, mais bien plus verdoyant.

POISSON

鱼 *poisson*

Poisson, **yú**, 2ᵉ ton, montant. On entend [yü].

Dans le signe antique, on voyait clairement une tête, des écailles et une queue *(voir ci-dessus)*. Si vous les reconnaissez dans ce signe moderne, bravo !

Grâce à la présence de la clé du *poisson*, en voyant 鲸 et 鲨, on sait d'emblée qu'il s'agit là d'un poisson ou d'un animal aquatique, et ce même si on ne sait pas comment les prononcer : 鲸鱼 **jīngyú** *baleine* ; 鲨鱼 **shāyú** *requin*.

大鱼大肉 **dà yú dà ròu** [da yü da joou] *(grand poisson grande viande)* signifie un *repas pantagruélique*. Si une carte de restaurant vous annonce 红鱼 **hóngyú** *(rouge-poisson)*, ne prenez pas la fuite, c'est une sorte de rascasse. D'ailleurs *poisson rouge* se dit 金鱼 **jīnyú** *(poisson d'or)*.

FILET, TOILE TISSÉE, INTERNET

网 filet, toile tissée, Internet

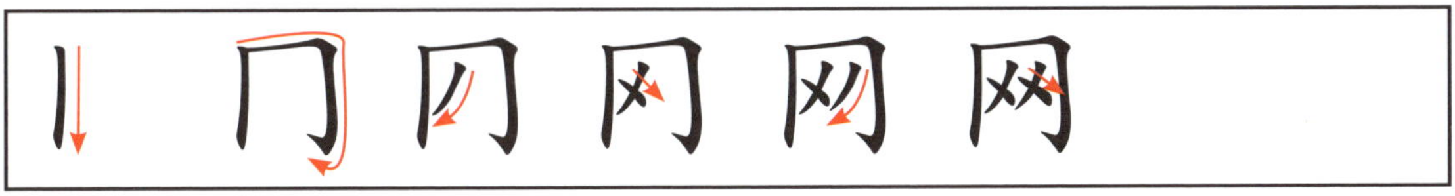

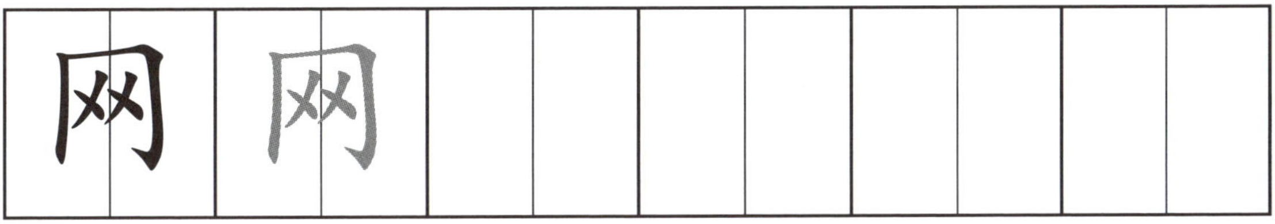

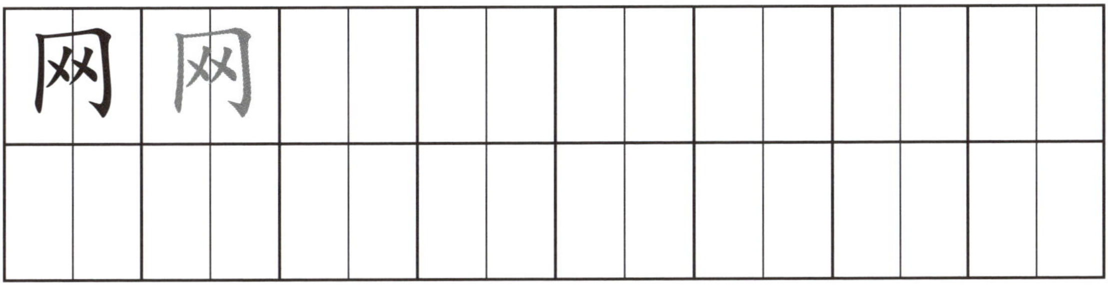

Filet, *toile tissée*, *Internet*, **wǎng**, 3e ton, grave.

Ce signe a été simplifié au mieux : les croix suggèrent les mailles d'un *filet de pêche*, 鱼网 **yúwǎng**.

Invitant à la frugalité et à la retenue, Confucius disait qu'il est lâche de décocher une flèche vers un oiseau posé sur une branche et qu'il vaut mieux pêcher à la ligne qu'au filet. Entretiens, VII. 26.

Le filet retient et la toile diffuse : 网络审查 **wǎngluò shěnchá** *censure des réseaux* ; 网上买票 **wǎng shàng mǎi piào** *acheter des billets sur Internet*.

Annexes

Les traits fondamentaux

Trait	Nom	Direction	Exemple
丶	Point	↘ ↙	学 *xué apprendre, étudier*
一	Horizontal	→	三 *sān trois*
丨 丨	Vertical	↓	中 *zhōng milieu, centre*
丿	Vertical incurvé	↙	几 *jǐ combien ?*
丿	Oblique gauche	↙	会 *huì savoir faire*
乀 \	Oblique droit	↘	大 *dà grand*
／	Remontant	↗	我 *wǒ moi, je*
㇆	Horizontal à crochet	↷	你 *nǐ toi, tu*
亅	Vertical à crochet	↓↖	小 *xiǎo petit, jeune*
㇌	Oblique droit à crochet	↗	我 *wǒ moi, je*
㇅	Horizontal brisé	→↓	口 *kǒu bouche*
㇄	Vertical brisé	↓→	山 *shān montagne*

L'ordre global des traits

Exemples	Ordre	Règle
十	一 十	d'abord le trait horizontal puis le vertical
人	丿 人	d'abord à gauche puis à droite
三	一 二 三	du haut vers le bas
月	刀 月	d'abord l'extérieur puis l'intérieur
国	冂 玉 国	le contour, puis l'intérieur et enfin la base
小	亅 小 小	d'abord le milieu puis les deux côtés

ANNEXES

Quelques clés simplifiées

2 traits	刀	couteau
	力	force, effort
	人 亻	homme, humain
	十	dix
	讠	parole
	冫	glace
3 traits	艹	herbe
	大	grand
	飞	voler (dans les airs)
	工	équerre, travail
	口	ouverture, bouche
	马	cheval, équidé
	门	porte
	冖 宀	toit
	女	femme, féminin
	山	montagne
	饣	nourriture
	土	terre
	囗	enceinte
	小	petit, jeune
	子	enfant
	纟 糸	fil
4 traits	贝	coquille
	车	véhicule, voiture
	方	carré, lieu
	风	vent
	父	père
	火 灬	feu
	见	voir
	木	bois
	日	soleil
	手 又	main
	水 氵	eau
	王	roi
	文	motif, signe écrit
	心	cœur
	月	lune
	爪 爫	griffe
5 traits	白	blanc
	禾	céréale
	母	mère
	目	regard, œil
	鸟	oiseau
	生	naître
	石	pierre
	田	champ
	玉	jade
6 traits	米	riz cru
	肉	viande
	竹	bambou
7 traits	走	marcher
8 traits	雨	pluie
	金 钅	or, métal
	鱼	poisson
11 traits	黄	jaune
13 traits	鼠	rat, rongeur

ANNEXES

Équivalences entre signes simplifiés (Chine cont.) et signes traditionnels

爱	愛	aimer, amour	**ài**	关	關	fermer	**guān**
贝	貝	coquille	**bèi**	贵	貴	cher, onéreux	**guì**
车	車	véhicule, voiture	**chē**	国	國	pays, royaume	**guó**
岛	島	île	**dǎo**	画	畫	peindre, dessiner	**huà**
点	點	point, heure	**diǎn**	会	會	savoir faire	**huì**
电	電	électricité	**diàn**	几	幾	combien ?	**jǐ**
东	東	est	**dōng**	开	開	ouvrir	**kāi**
对	對	exact, juste	**duì**	来	來	venir	**lái**
饭	飯	riz cuit, repas	**fàn**	马	馬	cheval, équidé	**mǎ**
飞	飛	voler (dans les airs)	**fēi**	吗	嗎	Est-ce que… ?	**ma**
风	風	vent	**fēng**	门	門	porte	**mén**
个	個	individu	**ge**	鸟	鳥	oiseau	**niǎo**
说	說	parler, dire	**shuō**	学	學	apprendre, étudier	**xué**
网	網	filet, toile, Internet	**wǎng**	鱼	魚	poisson	**yú**
写	寫	écrire	**xiě**	云	雲	nuage	**yún**

ANNEXES

Équivalences entre pinyin et prononciation française

• Les initiales

– Seules les consonnes **f**, **l**, **m**, **n**, **s** se prononcent comme en français.

– Souffler fort après **p**, **t**, **k**, **h**, **c**.

p – *chape*	**t** – *mythe*	**k** – *lac*	**h** – *ha, ha !*	**c** – *tsé-tsé*

– Ne pas souffler du tout après **b**, **d**, **g**.

b à prononcer entre *b* et *p* du français	**d** entre *d* et *t*	**g** (guttural) entre *g* et *k*

– **w** et **y** se prononcent à l'anglaise :

w – *wifi*	**y** – *yeti*

– **x** se prononce de façon chuintante :

xu [ssü] à prononcer entre les syllabes *chu* et *su* du français

– **zh**, **ch**, **sh** et **z**, **c**, **s** :

zh [dj] – *Django*	**ch** [tch] – *Churchill*	**sh** [sh] – *short*
z [dz] – *Dzoungarie*	**c** [ts'] – *tsunami*	**s** [s] – *soleil*

– **i** se prononce [eu] après **zh**, **ch**, **sh**, **z**, **c**, **s**, **r** :

zhi [djeu]	**chi** [tcheu]	**shi** [sheu]	**zi** [dzeu]	**ci** [ts'eu]	**si** [seu]	**ri** [jeu]

– **i** se prononce [i] et **u** se prononce [û] après **j**, **q**, **x**, **y** :

ji [dyi / tyi]	**qi** [tch'i] souffler fort	**xi** [ssi] chuintant	**yi** [yi]
ju [dyü / tyü]	**qu** [tch'ü] souffler fort	**xu** [ssü] chuintant	**yu** [yü]

ANNEXES

• Les finales

– Les voyelles **a**, **o**, **ü** ne varient pas.

a – *basse*	**o** – *or*	**ü** – *ambigu*

– Les voyelles **u**, **i**, **e** varient selon les consonnes initiales :

u [ou] mais [ü] après **j, q, x, y**	**i** [i] mais [eu] après **zh, ch, sh, z, c, s, r**	**e** [e] mais [é] après **y, i, ü**

– Les diphtongues :

ai [aï]	**ao** [ao]	**ei** [eï]	**ou** [o-ou]	**ua** [ou-a]	**uai** [ou-aï]
ui [ou-é]	**üe** [üé]	**ia** [ya]	**iao** [ya-o]	**ie** [i-é]	**iu** [i-ou]

– **n** final est distinct de la voyelle :

an [ane]	**in** [ine]	**en** [enne]	**un** [oune]

– **ng** indique que la voyelle se nasalise peu à peu :

ang part de [a] puis devient [ang]	**ing** part de [i] puis devient [ing]

– **g** final ne s'entend pas :

ang [ang]	**eng** [eng]	**ing** [ing]	**ong** [ong]

– Attention à la finale **ian** [ienne]. Comparez :

lan [lane]	**luan** [louane], mais **lian** [lienne]
tan [t'ane]	**tuan** [t'ouane], mais **tian** [t'ienne]

ANNEXES

Les petites phrases usuelles du cahier

• **Contacts**

你好。 **Nǐ hǎo.** *Bonjour (à toi).*

你们好。 **Nǐmen hǎo.** *Bonjour (à vous tous).*

您好。 **Nín hǎo.** *Bonjour Madame, Bonjour Monsieur.*

你好吗？ **Nǐ hǎo ma ?** *Comment vas-tu ?*

早安。 **Zǎo'ān.** *(paix du matin) Bonjour.*

晚安。 **Wǎn'ān.** *(paix du soir) Bonsoir.*

我走了，再见。 **Wǒ zǒu le, zài jiàn.** [wo dzoou le, dzaï dyienne] *Je m'en vais, au revoir.*

有人吗？ **Yǒu rén ma ?** *Il y a quelqu'un ?*

没有人。 **Méi yǒu rén.** *Il n'y a personne.*

好不好？ **Hǎo-bù-hǎo ?** *C'est d'accord ?*

好。 **Hǎo.** *D'accord !*

对不对？ **Duì-bu-duì ?** [doué-bou-doué] *C'est exact ?*

对！ **Duì !** *Oui, c'est exact !*

不对。 **Bú duì.** *Non, c'est faux.*

不太对。 **Bú tài duì.** *Ce n'est pas tout à fait exact.*

对不起。 **Duì-bu-qǐ** [doué-bou-t'chi] *Je suis désolé(e).*

没关系。 **Méi guānxi** [meï gouane-ssi] *Pas de problème.*

小心！ **Xiǎo xīn !** [ssiao-ssin] *Attention !*

我不明白。 **Wǒ bù míngbai.** [wo bou ming-baï] *Je ne comprends pas.*

119

ANNEXES

- **Faire connaissance**

您贵姓？ **Nín guì xìng ?** [nine goué ssing] *Puis-je vous demander votre nom de famille ?*

你姓什么？ **Nǐ xìng shénme ?** [ni ssing she-me] *Quel est ton nom de famille ?*

你是北方人吗？ **Nǐ shì běifāng rén ma ?** [sheu beï-fang-jenne] *Es-tu originaire du Nord ?*

你是南方人吗？ **Nǐ shì nánfāng rén ma ?** *Est-ce que tu es du Sud ?*

您是中国人吗？ **Nín shì zhōngguó rén ma ?** *Est-ce que vous êtes chinois(e) ?*

我是中国人。 **Wǒ shì zhōngguó rén.** *Oui, je suis chinois(e).*

我不是中国人。 **Wǒ bú shì zhōngguó rén.** *Je ne suis pas chinois(e).*

你多大？ **Nǐ duō dà ?** [ni douo da] *Quel âge as-tu ?*

你去什么地方？ **Nǐ qù shénme dìfang ?** [t'chü she-me di-fang] *Tu vas à quel endroit ?*

我去北方， **Wǒ qù běifāng,** [wo tch'ü beï-fang] *Je vais dans le Nord.*

我回家。 **Wǒ huí jiā.** [wo h'oué dyia] *Je rentre chez moi (là où j'habite).*

我回国。 **Wǒ huí guó.** *Je rentre dans mon pays.*

我回老家。 **Wǒ huí lǎojiā.** *Je rentre chez mes parents / grands-parents / ancêtres.*

我是第一次来中国。 **Wǒ shi dì yī cì lái Zhōngguó** [wo sheu di yi ts'eu laï djong-gouo] *C'est la première fois que je viens en Chine.*

我是学生。 **Wǒ shì xuéshēng.** [wo sheu ssüé-sheung]. *Je suis étudiant(e).*

你学中文吗？ **Nǐ xué zhōngwén ma ?** *Tu apprends le chinois ?*

我学汉字。 **Wǒ xué hànzì.** [wo ssüé h'ane-dzeu] *J'apprends les caractères chinois.*

我会写几个字。 **Wǒ huì xiě jǐ ge zì.** [h'oué ssié dji gue dzeu] *Oui, je sais écrire quelques signes.*

你会说中文吗？ **Nǐ huì shuō zhōngwén ma ?** [shouo djong-wenne] *Tu sais parler chinois ?*

会一点点。 **Huì yìdiǎn-diǎn.** [h'oué yi-dienne-dienne] *Je sais un tout petit peu.*

汉字太多！ **Hànzì tài duō !** [h'ane-dzeu t'aï douo] *Les caractères chinois, il y en a trop !*

我天天写字。 **Wǒ tiān tiān xiě zì.** *J'écris des caractères tous les jours.*

你要看电影吗？ **Nǐ yào kàn diànyǐng ma ?** [k'ane dienne-ying] *Tu veux regarder un film ?*

我明天工作。 **Wǒ míngtiān gōngzuò.** *Je travaille demain.*

他没有工作。 **Tā méi yǒu gōngzuò.** *Il n'a pas de travail.*

可以休息。 **Kěyi xiūxi.** [k'e-yi ssiou-ssi] *On peut se reposer.*

休息休息吧。 **Xiūxi-xiūxi ba.** *Repose-toi un peu.*

今天人多！ **Jīntiān rén duō !** [dyine-t'ienne jenne douo] *Il y a du monde aujourd'hui !*

去公园，好不好？ **Qù gōngyuán, hǎo-bu-hǎo ?** [t'chü gong-yüenne] *Et si on allait au jardin public ?*

- **Famille**

你家有几口人？ **Nǐ jiā yǒu jǐ kǒu rén ?** [ni dyia yoou dyi k'oou jenne] *Combien êtes-vous dans ta famille ?*

你有孩子吗？ **Nǐ yǒu háizi ma ?** *Tu as des enfants ?*

没有。 **Méi yǒu.** *Non, je n'en ai pas.*

我有三个孩子。 **Wǒ yǒu sān ge háizi.** *J'ai trois enfants.*

我有一个男孩，一个女孩。 **Wǒ yǒu yí ge nánhái, yí ge nǚhái.** *J'ai un garçon et une fille.*

- **Date, heure et anniversaire**

今天几日？ **jīntiān jǐ rì ?** [dyine t'ienne dyii jeu] *Quelle date sommes-nous ?*

一月三日 **yī yuè sān rì** [yi üé sane jeu] *le 3 janvier*

几点了？ **Jǐ diǎn le ?** [dyi dienne le] *Quelle heure est-il ?*

ANNEXES

明天几点？ **Míngtiān jǐ diǎn ?** [ming-t'ienne dyi dienne] *À quelle heure demain ?*

早上八点。 **Zǎoshang bā dián.** [dzao-shang ba dienne] *À huit heures.*

今天晚上八点 **Jīntiān wǎnshang bā dián.** [dyine-t'ienne wane-shang ba dienne] *Ce soir à huit heures.*

你生日是几月几日？ **Nǐ shēngrì shì jǐ yuè jǐ rì ?** [ni sheung-jeu sheu] *Quelle est la date de ton anniversaire ?*

三月二日。 **sān yuè èr rì** [sane üé er jeu] *le 2 mars*

• Météo

今天有风。 **Jīntiān yǒu fēng.** [dyine-t'ienne yoou feng]. *Il y a du vent aujourd'hui.*

有台风吗？ **Yǒu táifēng ma ?** *Y a-t-il un typhon ?*

今天多云。 **Jīntiān duō yún** [dyine-t'ienne douo yüne] *La journée sera nuageuse.*

下雨。 **Xià yǔ.** [ssia yü] *Il pleut.*

下雨了。 **Xià yǔ le.** *Il se met à pleuvoir.*

下雪了。 **Xià xuě le.** [ssia ssüé le] *Il commence à neiger.*

今天冷。 **Jīntiān lěng** [dyine-t'ienne leung] *Il fait froid aujourd'hui.*

今天有点冷。 **Jīntiān yǒudiǎn lěng.** *Il fait un peu froid aujourd'hui.*

天冷了。 **Tiān lěng le.** *Le temps s'est refroidi.*

你冷吗？ **Nǐ lěng ma ?** *Tu as froid ?*

我不冷，你呢？ **Wǒ bù lěng, nǐ ne ?** *Non, je n'ai pas froid, et toi ?*

• Besoins quotidiens

有人吗？ **Yǒu rén ma ?** *Il y a quelqu'un ?*

没有人。 **Méi yǒu rén.** *Il n'y a personne.*

有水吗？ **Yǒu shuǐ ma ?** *Il y a de l'eau ?*

我来一碗白饭。 **Wǒ lái yī wǎn báifàn.** *Je prendrai un bol de riz blanc.*

几点开饭？ **Jǐ diǎn kāi fàn ?** [dji dienne k'aï fane] *À quelle heure le repas est-il servi ?*

开饭了。 **Kāi fàn le.** [k'aï fane le] *Le repas est servi.*

吃饭吧！ **Chī fàn ba !** [tcheu fane ba] *Mangeons !*

慢慢吃。 **Màn-man chī.** *Bon appétit !*

有没有刀？ **Yǒu méi yǒu dāo ?** *Auriez-vous (ou pas) un couteau ?*

你爱喝什么茶？ **Nǐ ài hē shénme chá ?** [she-me tcha] *Quel thé aimes-tu boire ?*

我来一杯绿茶。 **Wǒ lái yī bēi lǜchá.** *Je vais prendre une tasse de thé vert.*

我喝花茶。 **Wǒ hē huāchá** [wo h'e h'oua-tcha] *Je bois du thé aux fleurs.*

能上网吗？ **Néng shàng wǎng ma ?** *Je peux aller sur Internet ?*

网上买票 **wǎng shàng mǎi piào.** *Acheter des billets sur Internet.*

我下去。 **Wǒ xià-qù** [wo ssia-tch'ü] *Je descends.*

- **Marchandage**

很贵。 **Hěn guì.** [h'enne goué] *C'est très cher.*

太贵。 **Tài guì.** [t'aï goué] *C'est trop cher.*

不太贵。 **Bú tài guì.** [bou t'aï goué] *Ce n'est pas trop cher.*

有点贵。 **Yǒudiǎn guì.** [yoou-dienne goué] *C'est un peu cher.*

不贵。 **Bú guì.** *Ce n'est pas cher.*

- **Sentiment**

我爱你。 **Wǒ ài nǐ.** [wo aï ni] *Je t'aime.*

你爱我吗？ **Nǐ ài wǒ ma ?** *Est-ce que tu m'aimes ?*

我很开心。 **Wǒ hěn kāixīn.** [wo h'enne k'aï-ssine] *Je suis très content(e).*

ANNEXES

Les 100 signes du cahier (+ 1 pour vous encourager à continuer)

	Signe	Traduction	Pinyin	On entend
1.	一	un	yī	[yi]
2.	二	deux	èr	[er]
3.	三	trois	sān	[sane]
4.	十	dix	shí	[sheu]
5.	月	lune, lunaison, mois	yuè	[yüé]
6.	日	soleil, jour	ri	[jeu]
7.	天	ciel, journée	tiān	[t'ienne]
8.	今	actuel, présent	jīn	[dyine]
9.	几	combien ?	jǐ	[dyi / tyi]
10.	中	milieu, centre	zhōng	[djong]
11.	国	pays, royaume	guó	[gou-o / kou-o]
12.	去	aller à…	qù	[t'ch]
13.	人	homme, humain	rén	[jenne / jeune]
14.	多	beaucoup, nombreux	duō	[dou-o / tou-o]
15.	云	nuage	yún	[yüne]
16.	山	montagne	shān	[shane]
17.	水	eau	shuǐ	[shoué]
18.	田	champ	tián	[t'ienne]
19.	画	peindre, dessiner	huà	[h'oua]
20.	刀	couteau	dāo	[dao / tao]
21.	力	force, effort	lì	[li]
22.	男	homme, masculin	nán	[nane]
23.	女	femme, féminin	nǔ	[nü]
24.	子	enfant, fils	zǐ	[dzeu]
25.	好	bon, bien, d'accord, ça va	hǎo	[h'ao]

ANNEXES

	Signe	Traduction	Pinyin	On entend
26.	你	tu, toi	nǐ	[ni]
27.	心	cœur	xīn	[ssine]
28.	您	vous (de politesse)	nín	[nine]
29.	大	grand	dà	[da/ta]
30.	小	petit, jeune	xiǎo	[ssiao]
31.	马	cheval, équidé	mǎ	[ma]
32.	吗	Est-ce que… ?	ma	[ma/me]
33.	是	être	shì	[sheu]
34.	我	moi, je	wǒ	[wo]
35.	不	ne… pas être	bù	[bou/pou]
36.	生	naître, donner naissance	shēng	[sheung]
37.	有	avoir, il y a	yǒu	[yoou]
38.	没	ne pas avoir	méi	[meï]
39.	孩	enfant	hái	[h'aï]
40.	个	individu	ge	[gue]
41.	口	bouche, ouverture	kǒu	[k'oou]
42.	对	exact, juste	duì	[doué/toué]
43.	门	porte	mén	[menne/meune]
44.	北	nord	běi	[beï, peï]
45.	方	carré, espace, lieu	fāng	[fang]
46.	南	sud	nán	[nane]
47.	西	ouest	xī	[ssi]
48.	东	est	dōng	[dong/tong]
49.	风	vent	fēng	[feng]
50.	点	point, heure	diǎn	[dienne/tienne]

ANNEXES

	Signe	Traduction	Pinyin	On entend
51.	火	feu	**huǒ**	[h'ouo]
52.	开	ouvrir	**kāi**	[k'aï]
53.	关	fermer	**guān**	[gouane/kouane]
54.	系	lier, lien, attacher ensemble	**xì**	[ssi]
55.	上	monter, gravir, aller	**shàng**	[shang]
56.	下	descendre	**xià**	[ssia]
57.	车	véhicule, voiture	**chē**	[tche]
58.	雨	pluie	**yǔ**	[yü]
59.	雪	neige	**xuě**	[ssüé]
60.	冷	froid	**lěng**	[leung]
61.	明	clair, clarté	**míng**	[ming]
62.	白	blanc	**bái**	[baï]
63.	米	riz cru	**mǐ**	[mi]
64.	饭	riz cuit, repas	**fàn**	[fane]
65.	吃	manger	**chī**	[tcheu]
66.	早	tôt, de bon matin	**zǎo**	[dzao]
67.	晚	tard, soir	**wǎn**	[wane/ouane]
68.	午	7e branche terrestre	**wǔ**	[wou]
69.	文	motif, signe écrit	**wén**	[wenne/weune]
70.	学	apprendre, étudier	**xué**	[ssüé]
71.	字	caractère chinois	**zì**	[dzeu]
72.	会	savoir faire	**huì**	[h'oué]
73.	说	parler, dire	**shuō**	[shou-o]
74.	写	écrire	**xiě**	[ssié]
75.	看	regarder	**kàn**	[k'ane]

ANNEXES

	Signe	Traduction	Pinyin	On entend
76.	电	électricité	**diàn**	[dienne/tienne]
77.	手	main	**shǒu**	[shoou]
78.	爱	aimer, amour	**ài**	[aï]
79.	茶	thé	**chá**	[tcha]
80.	花	fleur	**huā**	[h'oua]
81.	竹	bambou	**zhú**	[djou]
82.	地	sol, terre	**dì**	[di/ti]
83.	走	marcher, s'en aller	**zǒu**	[dzoou]
84.	来	venir	**lái**	[laï]
85.	老	vieux, vieille	**lǎo**	[lao]
86.	家	famille, foyer	**jiā**	[dyia/tyia]
87.	回	retourner, rentrer	**huí**	[h'oué]
88.	父	père	**fù**	[fou]
89.	母	mère	**mǔ**	[mou]
90.	贵	cher, onéreux	**guì**	[goué/koué]
91.	姓	nom de famille, patronyme	**xìng**	[ssing]
92.	周	cycle, semaine	**zhōu**	[djo-ou]
93.	休	repos, se reposer	**xiū**	[ssiou]
94.	工	travail, travailler	**gōng**	[gong/kong]
95.	海	la mer	**hǎi**	[h'aï]
96.	河	fleuve, rivière	**hé**	[h'e]
97.	鸟	oiseau	**niǎo**	[niao]
98.	飞	voler (dans les airs)	**fēi**	[feï]
99.	岛	île	**dǎo**	[dao/tao]
100.	鱼	poisson	**yú**	[yü]
101.	网	filet, toile tissée, Internet	**wǎng**	[wang]

Création et réalisation : MediaSarbacane

© 2014, Assimil
Dépôt légal : juillet 2014
N° d'édition : 3301
ISBN : 978-2-7005-0651-8

www.assimil.com

Imprimé en Slovénie pas DZS Grafik